「体を温める」と病気は必ず治る

医学博士／イシハラクリニック院長
石原結實

三笠書房

はじめに

あなたは1週間で「温め効果」を実感する！

あなたは、こんなことをやっていませんか？

●ペットボトルの飲み物をよく飲んでいる
●ご飯よりもパン食が好き
●朝起きて食欲がない時でも、朝食は食べるようにしている
●風呂は、冬場以外はシャワーですませることが多い……

これらの行為は、いますぐやめないといけない。なぜなら、知らず知らずのうちに、あなたの体から「熱」を奪っているからだ。

私たちの体は、36・5℃～37℃の体温で最もよく働くようにできている。ところが、最近は、36℃前半、中には35℃台という人までいる。こんな状態になりながら、先に挙げた行為を続けていては、むざむざ不健康体になるよう仕向けているとしか思えない。

人間の一生の中で一番若く、生命力が強い新生児が「赤ちゃん」と言われるのは、赤い＝つまり体温が高いから。一方、年をとると、白髪、白内障など「白ちゃん」ともいうべ

き〝冷え〟から起こる老化現象が表れる。キーワードは〝赤と白〟、つまり温かさだ。

あらゆる病気は、この〝体温低下〟によって引き起こされる。実は、ガンができることも体温の低下と大いに関係がある。過食やストレス、運動不足といった、体を冷やす要因に事欠かない現代は、だからこそ意識的に体を温め、体温を上げることが必要なのである。

体を温めることは難しいことではない。ちょっとした毎日の習慣でできる。

たとえば、私の伊豆の保養所の各個室には、熱い紅茶にすり下ろした生姜を入れた「生姜紅茶」入りのポットが置いてある。のどが渇いた時は、随時飲んでもらうようにすることで、その効果は明らかに上がっている。石原慎太郎先生にも、昨年「生姜紅茶」の効能をお話ししましたところ、毎日、愛飲されており、テレビ御出演の時などにもよく「生姜紅茶」を話題にされるほどだ。

本書では、この「生姜紅茶」をはじめとして、ふだんの食事や生活で安全、簡単に体が温まる方法に加えて、症状別・病気別にどんな温め方が一番効果的かなどについて取り上げた。また、「体を温める」ことで実際に治っていった方々の事例は大いに参考になるだろう。今日、いま、できることから実行すれば、早い人なら、はじめて一週間で効果を実感することができる。ぜひ、病気知らずの健康体を手に入れていただきたい。

『「体を温める」と病気は必ず治る』目次

2章「ただ温めるだけ」で見事に治ってしまうメカニズム

——なぜ、ムリをしないで自然によくなるのか

3章 この食生活があなたの〝体熱〟をつくりだす！
――「熱を上げるクスリ」はない。だから食べ物、食べ方が大事なのです

4章 自分のため、家族のため、これが朝昼晩の「ほかほか生活」

――手間もお金も一切かからない毎日の習慣

5章
〈症状・病気別の温め方〉
早い人なら1週間で効果が出る！
――気になる健診数値対策から、がんこな慢性症状まで、あなたの場合

6章 ●ありがとう「温熱健康法」！ダイエットから内臓疾患、ガンまで「私が治った！」全記録

――うれしい報告が続々と届いています

本文イラストレーション　おてもり　のぶお

1章

病気は「冷たいところ（血行不良）」に起こる！

——いますぐあなたの「体温低下」に手を打て

体温が0・5℃下がるだけで、これだけのダメージ!

落語に「葛根湯医者《かっこんとういしゃ》」というのが出てくる。

患者が「風邪をひいた」とやってくると「それなら葛根湯」、「下痢をした」と訴えても「はい、葛根湯」、「湿疹ができて大変だ」と訴えると「やっぱり葛根湯」と、葛根湯しか処方しない江戸時代の医者のことである。それでいて、ほとんどの病気を葛根湯で治すというのだから、葛根湯医者もバカにはできない。

葛根湯は、葛根《かっこん》(葛《くず》の根)、麻黄《まおう》、生姜《しょうが》、大棗《たいそう》、芍薬《しゃくやく》、桂枝《ニッケイ》、甘草《かんぞう》など、体を温める成分から構成されており、葛根湯を服用後20分もすると体が温まり、汗がにじみ出てきて、肩こりや頭痛がとれて気分もよくなる。また、下痢や湿疹、ジンマシンなどにも著効を奏することがよくある。

漢方の専門書にも、葛根湯が効く病名として、風邪、気管支炎、肺炎、扁桃《へんとう》炎、結膜炎、涙のう炎、耳下腺炎、口内炎、乳腺炎、中耳炎、蓄膿《ちくのう》症、ハシカ、水痘《すいとう》、頸部リンパ節炎、肩こり、五十肩、リウマチ、湿疹、ジンマシン、化膿性皮膚炎、高血圧、赤痢、夜尿症などが書いてある。

なぜ、それほどまでに葛根湯が効くのだろうか。**ポイントは「温める」**ということだ。「風邪は万病のもと」といわれるが、風邪のことを英語でCold（冷え）という。これは、「冷えは万病のもと」といい換えてもいいわけだ。葛根湯は、体を温めて冷えを改善するから、万病とまではいかなくても、かなりの病気に奏効するのである。だからこそ葛根湯医者も生計を立てられたのであろう。

ヒトは、動物のような体毛がないことからも、もともと熱帯に発生したと推測されている。学説では300万年前にアフリカ大陸でゴリラから派生したとされている。よって、暑さに耐えるための体温調節器官は存在するが、寒さに対する特別な機能を持っていないため「冷え」に弱く、冷えるとさまざまな病気にかかりやすくなると考えられる。

たとえばこのようなことだ。

冬には風邪や肺炎、脳卒中や心筋梗塞、高血圧などの循環器疾患は当然としても、それ以外でも、ガン、腎臓病、糖尿病、膠原病《こうげんびょう》など、ほとんどの病気での死亡率が上昇してくる。

また、外気温や体温が一日中で一番低くなる午前3〜5時が、人の死亡率が一番高くなるし、喘息発作《ぜんそくほっさ》やアトピー性皮膚炎のかゆみがひどくなったりするのもこの時間帯が多い。健康な人でも、概して起床時から1〜2時間は体が重かったり、ボーッとしていたり、気分が沈みがちになったりなどと、何となく調子が出ないものだ。低血圧の人やうつ病の人はそれがさらに顕著になる。しかし、午後になるとだんだん調子が出てきて、暗くなる頃からますます元気になり、よいっぱりという人も多い。

こうした現象は、すべて体温の変化が大きく関係している。明け方に最も低くなった体温は、午後5時頃まで徐々に上昇し続けるからである。ふつう、午後2時から8時頃までが体温が一番高くなる。一日の最低体温と最高体温の差は、1℃くらいにもなるのである。

ヒトの生体は「一種の熱機関」として働いているのだから、体温は人間の健康や生命にとって極めて重要である。よって、強い寒さに襲われると、体温が低下して死に至ることもある。

どんな屈強な若者でも、冬山で遭難すると、たとえ外傷を負わなくても凍死することがあるのはそのためだ。体温が下がることによって、体には何が起きてくるか。たった0・

5℃の違いでも、かなりのダメージが生まれるのである。

●体温が下がると、どんな症状が表れるか

36・5℃——健康体、免疫力旺盛

36・0℃——ふるえることによって熱産生を増加させようとする

35・5℃——恒常的に続くと
・排泄《はいせつ》機能低下
・自律神経失調症状が出現
・アレルギー症状が出現

35℃——ガン細胞が最も増殖する温度

34℃——水におぼれた人を救出後、生命の回復ができるかギリギリの体温

33℃——冬山で遭難し、凍死する前に幻覚が出てくる体温

30℃——意識消失

29℃——瞳孔拡大

27℃以下——死体の体温

体温が上がるだけで、体はこんなに元気になる！

ふつう、体熱が1℃上昇すると脈拍が約10回多くなる。したがって、何かの病気で発熱すると、体温と脈拍が並行して増加していくものである。

万一、脈は増加し続けても、体温が下がってくると、脈拍を示す直線と体温を示す直線が交叉《こうさ》することになる。

これを、

「死の交叉（Toten Kreuz＝ドイツ語）」

といい、この患者は「確実に死ぬこと」を表している。

つまり、体温がいかに生命にとって大切かを物語っているわけだ。

なぜ、心臓と脾臓にだけはガンができないか

　生まれてきた赤ん坊は、赤血球が多く、体熱が高いために赤い。だんだん年をとってくると白髪《しらが》が増え、白内障《はくないしょう》を患い、皮膚に白斑《はくはん》が出てきたりといった具合に「白」が目立つようになり、やがて死を迎える。

「白」とは、雪が白いように、冷える色だ。地球上の物体は、冷やすとすべて硬くなる。水を冷やすと氷になるし、寒いところでは手がかじかむ。飲み物を冷凍庫に入れるとコチコチになるように、モノは冷えると硬くなる。

　赤ちゃんは体温が高いので肌も体も柔らかいが、年をとってくると肌はガサガサと硬くなるし、立ち居振る舞いもぎこちなく、体全体が硬くなってくる。これは体温が下がってくるからである。皮膚や筋肉や骨が硬いのに、内臓だけが柔らかいということはあり得ず、動作が硬くなってくると内臓もだんだん硬くなり、動脈硬化、心筋硬塞・脳硬塞（私が医学生だった時代のテキストには、梗塞ではなく、硬塞と書いてあった）など、硬い病気が

増えてくるのである。

ガンも例外ではない。ガンは漢字で「癌」と書くが、嵒＝岩という意味で、癌は「硬い病気」であることを表している。確かに乳ガン、皮膚ガンをはじめ、外からでも触診できるリンパ節のガンなどは、石のように硬い。

ということは、ガンもある面、「冷え」を原因とする病気ということができる。なぜなら、頭のテッペンから足の爪先までガンは発生し得るが、「心臓ガン」と「脾臓《ひぞう》ガン」というのは聞いたことがない。

心臓は四六時中休みなく動き、発熱量が多いところであるからだ。心臓の重量は体重の約０・５％程度しかないが、体全体の体熱の約11％も熱を作っているのである。また、脾臓は左上腹部の胃底の左後方にある約１００gの臓器で、リンパ球や単球（マクロファージ）など白血球の生産を行なっているが、何といっても特徴的なのは、赤血球の貯蔵をしているという点である。赤ちゃんのごとく赤い臓器で温度が高い。つまり、**心臓と脾臓は体の中でも体温が高いところなので、「冷え」の病気であるガンにはならない**のだ。

逆にガンになりやすい臓器は、胃や大腸、食道、子宮、卵巣《らんそう》、肺といった管腔《かんくう》臓器である。これは細胞が周囲にしか存在せず中空になっているので、臓器全体としては温度が低い。そのうえ外界と通じているので、さらに温度が下がるのである。外気温のほうが体内より常に低いからだ。

また、乳房にもガンができやすい。乳房は体から突き出ているので体温が低いからであろう。特に、乳房が大きい人ほどガンにかかりやすいことがわかっている。大きくても小さくても乳房に栄養や酸素を送っている動脈の数は同じ、つまり、血液の供給量は同じなのだから、大きい乳房ほど冷えるということになる。

１９７５年の日本のガンによる死者数は13万６０００人であった。その後、ガンの治療法は手術、放射線療法、化学療法、免疫療法など長足の進歩を遂げたといわれながらも、ガンの死者数はうなぎ登りに増えており、２００１年には30万人を超えた。なぜ、日本ではガンによる死者が多いのか。答えは日本人の体温が年々低下しているからである。ガンが熱に弱いことは、これまでの疫学調査やさまざまなエピソードが立証している。

●新陳代謝を司るサイロキシンの分泌が多すぎて起こる甲状腺機能亢進《こうしん》症（バセドウ病）は、発汗、発熱、下痢、血圧上昇、イライラなど、新陳代謝がよくなりすぎて起こる症状が次々と発現し、やがて、激やせを起こしてくる病気である。そしてこのバセドウ病の患者の発ガン率は非常に低く、一般の1000分の1以下とされている。

●かつて、イタリアのローマの近くにポンティンという名の沼があった。周辺の住民はそこに棲《す》む蚊《か》に刺され、しょっちゅうマラリアにかかって高熱を出していたという。そこでイタリア政府はポンティン沼を埋め立てた。その結果、マラリアに感染する人はいなくなったが、ガンにかかる人が急増したのだという。

●ドイツのブッシュ医博は、「丹毒（化膿性連鎖球菌などの感染で起こる皮膚や粘膜の急性炎症。「丹」は赤い色の意味）や肺炎などの感染症で高熱が長く続くとガンが治ってしまう患者がいる」という研究論文を発表している（1866年）。

●ニューヨーク記念病院の整形外科医のコーリー博士は、多くの論文を調査し、「手術不能の悪性腫瘍《しゅよう》の患者で、丹毒に感染した38人のうち20人が完治した」という事実を発見した。そして、連鎖球菌と霊菌《れいきん》から抽出した混合毒素を手術不能のガン患者312人に投与して発熱させたところ、134例に有効だったことを確かめている（1900年代初頭）。

●日本でも国立予防衛生研究所（現国立感染症研究所）から、「人間の子宮ガン細胞を取り出し、32℃から43℃の間で温度変化を与えて正常細胞と比較してみると、39・6℃以上にした場合、ガン細胞は10日くらいで全滅したが、正常細胞は痛手を受けなかった」という実験結果が発表された（1978年）。

こうした諸事実に鑑《かんが》み、現代医学でもガンに対するハイパーサーミア（Hyperthermia＝温熱療法、加温療法）が行なわれるようになっている。

全身の温熱療法は、転移している進行ガンに対して全身温を41・5～42・0℃にして2～10時間保ち、1～2週間おきに2～5回加温するもの。加温方法としては、温水浴や体外循環による血液加温がある。

局所の温熱療法は、メラノーマ（皮膚ガン）や骨や筋肉の腫瘍に対して行なわれ、超音波、マイクロ・ウエーブ、高周波などの電波を用いてガンの部位を42～44℃で40～60分間、週に1～2回の間隔で計5～10回加温する方法である。

温熱療法は放射線療法と併用されることが多く、皮膚ガンなど体表に表れる腫瘍には70

％以上の効果が確かめられている。

このように、西洋医学が手を焼いているガンも熱に弱いことがわかるし、裏を返せば「冷え」がガンの大きな原因になっていると推測されるのだ。

よって、「ましていわんや　他の病気においてをや」である。

「体重」を測るより、「体温」を測れ！

このように、冷え＝体温低下が、さまざまな病気の発生と関連していることを考えると、「私たち現代文明人が**毎日測定しなければならないのは、体重より体温である**」ということになる。

いまや30歳以下の若い人で、ヒトの平均体温とされる36・5℃の体温がある人はむしろ例外的で、ほとんどの人が36・0℃前後しかない。中には35・0℃未満の人もいる。これでは冷え性、むくみ、肥満、アレルギー、膠原病《こうげんびょう》、高脂血症、生理不順、生理痛、慢性疲

体重を測るよりも“体温”を測ることが重要

労症候群、肺炎・気管支炎・肝炎などの感染症、痛風《つうふう》、糖尿病などなど、ありとあらゆる病気になるのは当然である。
　さらに、低体温化傾向は若い人ばかりの現象かと思っていたが、最近、さまざまな年齢の患者さんの体温を測ってみると、驚くべきことに、老若男女、いまの日本人はほとんどが低体温であることがわかった。病気が多いはずである。

　では、私たちの体を温めている「熱」とは、どこから生まれているのだろう。その元は、もちろん食べ物である。
　熱は私たちが口に入れた食物の化学エネルギーが体内で変化して産生されている。

糖質の大部分はデンプンとして摂取され、唾液《だえき》や膵《すい》液中のアミラーゼにより二糖類の麦《ばく》芽《が》糖《とう》まで分解される。その他、糖質は蔗糖《しょとう》（砂糖）や乳糖など二糖類としても摂取される。麦芽類、蔗糖、乳糖などは、それぞれマルターゼ、スクラーゼ、ラクターゼによりブドウ糖に分解されて、小腸から血液内に入っていく。

タンパク質は、胃液のペプシン、膵液のトリプシンなどによってアミノ酸まで分解され、小腸から血液に吸収される。

食物中の脂肪（中性脂肪＝トリグリセリド）は胆汁酸塩や膵液中のリパーゼにより、脂肪酸とモノグリセリドまで分解され、小腸からリンパ管内に入り、脂肪組織に蓄積される。必要な時、血液中に脂肪酸として出て行き、アルブミン（タンパク質）と結合して遊離脂肪酸となり、あちこちの組織に運ばれてエネルギー源となる。

体内に取り込まれた糖、アミノ酸、遊離脂肪酸などのエネルギー基質は、各細胞の中のミトコンドリアという小器官内のクエン酸回路で酸化されてエネルギーを産生する。

このエネルギーは、骨格筋の収縮や生体の働きの維持に利用される。これら体内の各細胞・組織・器官の働きの結果、熱が産生され、体温の維持に働くことになる。

●体のどこから熱は生まれるか（安静時）

骨格筋	約22％
肝臓	約20％
脳	約18％
心臓	約11％
腎臓	約7％
皮膚	約5％
その他	約17％＝計100％

このように、安静時の部位別産熱量は、体重の半分の重量もある骨格筋が一番多いが、体重の0・5％ほどしかない心臓が約11％も占めているのだから、いかに心臓の産熱量が大きいかがわかる。

肝臓も体重の2～3％の重量しかないが、産熱量は20％にも及ぶ。

しかし、安静時でなく、体を動かすと、筋肉からの産熱量の割合は筋肉質の人の場合では80％近くまで上昇する。**体温を上昇させ、冷えを改善し、病気を予防するには、筋肉運**

動がいかに大切かが推測できる。

知らず知らず体を冷やしている「6つの原因」

私たちの体にはこのようなメカニズムが備わっているのに、なぜ、現代人の体温は下がってしまっているのだろう。大きく分けて6つの要因が考えられる。あなたにも心当たりがあるはずだ。

①筋肉不足（特に下半身）

これまでの事実から、運動不足、つまり筋肉運動の低下が産熱量の低下をもたらすことが推測できる。人間の筋肉の70%以上は腰より下に存在しているのだから、よく歩くことや、下肢を使うスポーツが大切なことも理解できるだろう。

足の裏は第2の心臓ともいわれるし、下肢の運動により筋肉の収縮と弛緩が十分に行な

知らないうちに体を冷やしている6つの原因

われると、「乳搾《ちちしぼ》り効果（milking action）」で血液の心臓への還流もよくなる。その結果、全身の血流がよくなって、体の全細胞・組織の代謝が促進されて、体熱が上昇する。

よって、下肢を使った運動は体温の上昇に極めて大切であるし、逆に下肢を動かさないと体が冷えてくるということになる。

②夏型の暮らしを一年中することと冷房の悪影響

現代文明社会では、電車やバス、クルマなどの乗り物の中、オフィスやデパートの中、それに自宅の中までクーラーが利いている。

夏はそもそも人間の体の基礎代謝が低下し、産熱しにくい状態にある。これは暑さをしのぐためだ。アイスクリーム、ビール、氷菓子、冷や麦、生野菜など、体を冷やす食べ物を多くとり、食べ物からも体を冷やして暑い夏を乗り越えようとするのが先祖から伝わる生活の知恵であったわけだ。つまり、夏には体を冷やすための体の生理や生活習慣が備わっているのである。

そのうえ、現代文明生活ではクーラーが加わって体の冷えに拍車をかけるのだから、現代人に体温低下が起こるのは、むしろ当然といえる。

③ストレスで血行を悪くしている

現代文明社会はストレス社会でもある。

ストレスがかかると、緊張のホルモンであるアドレナリンやノルアドレナリンの分泌が高まり、血管が収縮して血行が悪くなり、やがて体温が低下してくる。

ただし、27ページの数字からもわかるように、脳からの産熱量はかなり多い。よって、逆にあまりにストレスのないボーッとした状態では脳の血流が悪くなり、脳での産熱量が低下して体温の低下を招くことになる。よって、ストレスはほどほどにあったほうがいいといえそうだ。

頭脳労働者の中に、ほとんど肉体運動をしないのにかなり長生きしている人が多いのは、脳細胞の活動による産熱量の促進が一因と考えられる。

④入浴法が悪い

最近の若い人たちの間では、特に夏になると湯舟にしっかりつからずに、シャワーだけで入浴をすませることが多いようだ。これも、低体温化の一因である。

湯舟にきちんと入る入浴は、全身の血流をよくして、全臓器・細胞の新陳代謝を促進して体熱を上昇させる。また、発汗や排尿を増やして、冷えの一因となる体内の余分な水分を排泄して、さらなる体温上昇を促してくれる。

⑤食べ物・食べ方で体を冷やしてしまう

食べ物選びを誤っていることも体温を下げている原因だ。大きく分けても、4つの原因が考えられる。

(1) 食べ過ぎ

食べ過ぎると、とたんに眠くなったり、疲れがどっと出たりする。特に飲まず食わずで何か仕事に夢中になっていた時は、頭脳も冴え、体の疲れもさほど感じずに頑張れることが多いのに、食べると急に心身ともに疲れが出てくることをよく経験する。なぜなら、食物を消化するためには、胃腸の壁に多量の血液を配給して胃腸を働かせる必要があるからだ。つまり、脳や筋肉へ配給される血液量が少なくなるのである。

人間の体内の各臓器は、血液が運んでくる栄養、酸素、水、白血球、免疫物質などによって養われている。したがって、血液の配給が少ないところに病気が発生しやすいし、逆に血液の配給をよくすれば病気は治りやすくなる。

私たちはお腹が痛い時はお腹に、腰が痛い時は腰にと自然と手を当てるものだが、これは手を当てて患部を温め、血流をよくして病気や症状を治そうとする本能からくる行動なのである。よって、「手当て」が「治療」の語源になったわけだ。

食べ過ぎると胃腸に血が集まり、産熱量の多い骨格筋、脳、心臓の筋肉をはじめ、胃腸以外の器官や細胞への血液供給量が低下するため、かえって体熱が低下するのである。その結果、さまざまな病気を誘発する要因にもなる。

逆に、小食にしたり断食すると、胃腸への血流が少なくてすんで、多くの臓器への血流が比較的多くなるために、病気が治りやすくなるのである。

(2) 体を冷やす食べ物

タンパク質やビタミン、ミネラルを多く含む食べ物を、栄養のある、健康にいい食べ物とするのが分析学である「栄養学」の考え方だ。また、栄養学では食物を燃やした時に生じる熱量で、その食物の持つカロリー量を決めている。

しかし、漢方医学では2000年も前から、食べると体を温める食物を「陽性食品」、逆に体を冷やす食物を「陰性食品」として、病気の治療や健康の増進に利用してきた。

食べ物の性質の中には、カロリーだけでは説明できないものがあるということになる。この観点から現代日本人の食生活を見ると、体を冷やす食べ物をとり過ぎているきらいがある。

体を冷やす食べ物を列挙すると、

（i）**水分の多い食べ物**――水、酢、お茶、コーヒー、コーラ、ジュース、牛乳、ビール
（ii）**南方産の食べ物**――バナナ、パイナップル、ミカン、レモン、メロン、トマト、キュウリ、スイカ、カレー、コーヒー、緑茶
（iii）**白っぽい食べ物**――白砂糖、化学調味料、化学薬品
（iv）**柔らかい食べ物**――パン、バター、マヨネーズ、クリーム
（v）**生野菜**

なぜ、この5つの特徴がある食べ物が体を冷やすのか。
（i）の「水分」の功罪については後述する。

こんな「食べ方」ではあなたの体は冷える一方！

(ii)の「南方産の食べ物」は、それを食べる南方に住む人は毎日暑くて仕方がないのだから、そこでとれる食べ物は体を冷やすようにできているのである。まさに天の配剤というべきものだ。

(iii)の「白っぽい食べ物」は、雪を見て誰も温かそうだとは思わないし、白い顔をした人は冷え性であるように、青白色の外観をした食べ物は体を冷やす。

(iv)の「柔らかい食べ物」は、水分か油を多く含んでいる食べ物でもある。水も油も体を冷やす性質がある。

(v)の「生野菜」は、青白くて水分を多く含むので体を冷やすのである。

私の幼少時の日本では、生野菜のサラダを食べる習性は皆無だった。野菜は煮たり焼いたり、炒めたり、漬け物にして食べていたものだ。これはつまり、温める工夫をしていたということになる。また、パンやバター、マヨネーズなどの洋食もほとんど食べなかったし、バナナやパイナップルなど南方産の果物は高価過ぎて手が出なかった。水分も清涼飲料水といえば夏のラムネくらいしかなく、いまのようにあらゆる場所に清涼飲料水の自動販売機が設置してあって、いつでも飲めるという状態ではなかった。

こうした一世代前とは違う食生活の変化も、体の冷え＝低体温を招いた原因である。

つまり、現代人は総じて体を冷やす食べ物を食べ過ぎている、といえる。

（3）塩分制限の悪影響

ひと昔前までは、東北地方の人に高血圧や脳卒中が多かった。それは塩分のとり過ぎが原因だということにされ、日本全国に減塩運動が起きて今日に至っている。

食塩（Nacl＝塩化ナトリウム）は塩素とナトリウムからできていて、食塩をとり過ぎると当然、血液中にナトリウムが多くなる。ナトリウムには吸湿性があり、血液中にたくさんの水分を引き入れるから血液量が多くなる。心臓は水分のために多くなった血液を力を入れて送り出さなければならない。よって血圧が上昇するのである。

しかし、東北の人々は、わざわざ高血圧や脳出血を起こしたくて塩分を多量にとっていたわけではない。今のように暖房が十分でない厳寒の冬を乗り切るために、塩分をたくさんとる必要があったわけだ。つまり、塩分には体を温める作用があるのである。

もし、東北の人々が当時、塩分を多量にとっていなかったら、脳出血で倒れる何年も何十年も前に、肺炎、結核、リウマチ、下痢、自殺などの冷えの病気で早死にしていたにちがいない。

高血圧や脳卒中があれだけ多かった当時でも、東北地方の人々の平均寿命は全国平均と比べても2〜3年しか短くなかった。この2〜3年分も、塩分だけが原因ではなく、冬場の運動不足や野菜の摂取不足も大いに関係していたのであろう。

この考えを百歩譲って、塩分制限のおかげで脳出血が減ったのだとしても、今度は逆に脳梗塞（血栓）が増えてきたという事実をどう説明したらいいのだろうか。脳梗塞は自然医学的にいえば「硬くなる病気」であり、「冷えの病気」である。つまり、塩分不足の病気ともいえる。

しかも、39ページの図からも明らかなように、塩分をこれだけ制限しても、高血圧の患者数は増えているのである。

つまり、塩分不足によって体温が低下し、ガン、脳梗塞、心筋梗塞、糖尿病、脂肪肝、リウマチなどの膠原病、アレルギー、自殺などの一要因になっているのに、肝心の高血圧が減っていないというのは単なるブラックユーモアでしかない。

海の中でケガをしても膿《う》むことは少ないし、傷の治りが早いことは経験的に知られている。海水には皮膚の免疫力を上げることも、また、殺菌作用もあることもわかっている。その体表には薬になる海水（塩）が、体内に入ると一転して悪者になるということはおか

体を温める「塩分」を制限しすぎる悪影響

図1　塩分制限をしても高血圧症は減っていない

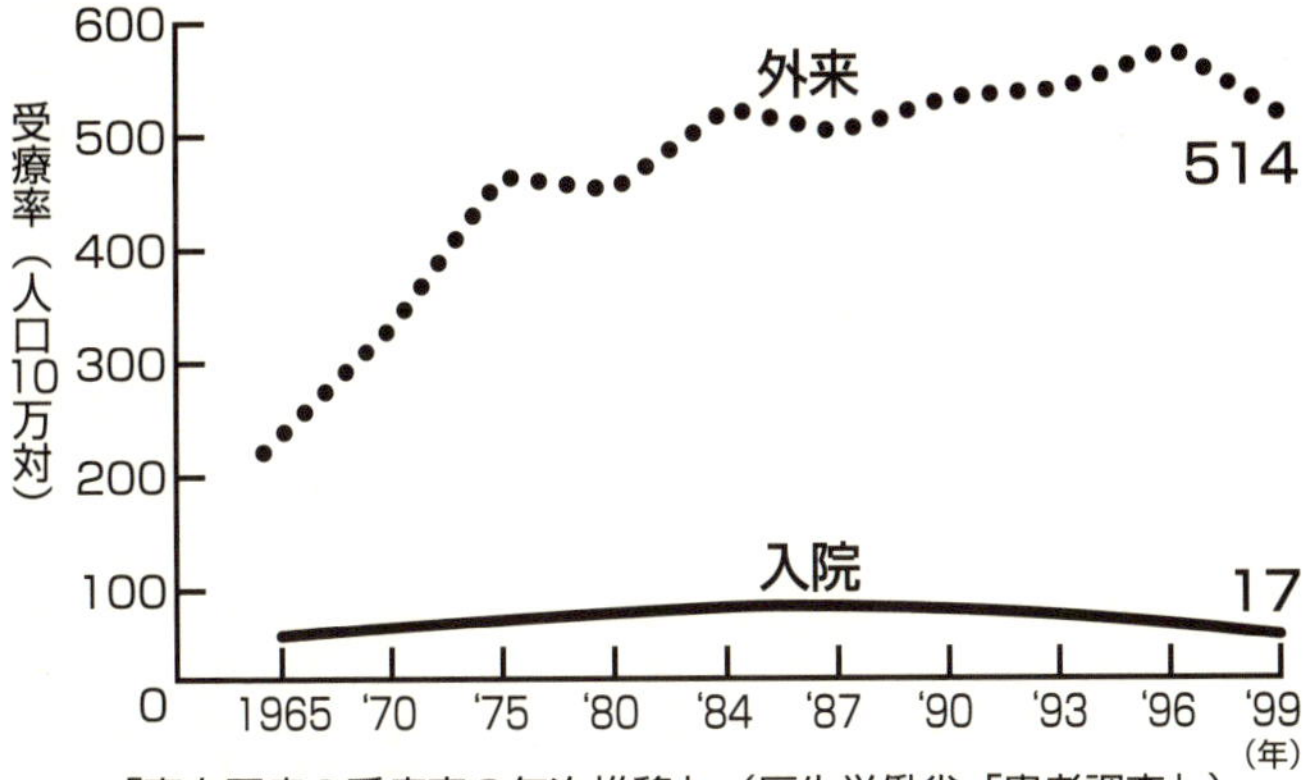

「高血圧症の受療率の年次推移」（厚生労働省「患者調査」）

図2　脳出血は減っても、脳梗塞は増えている

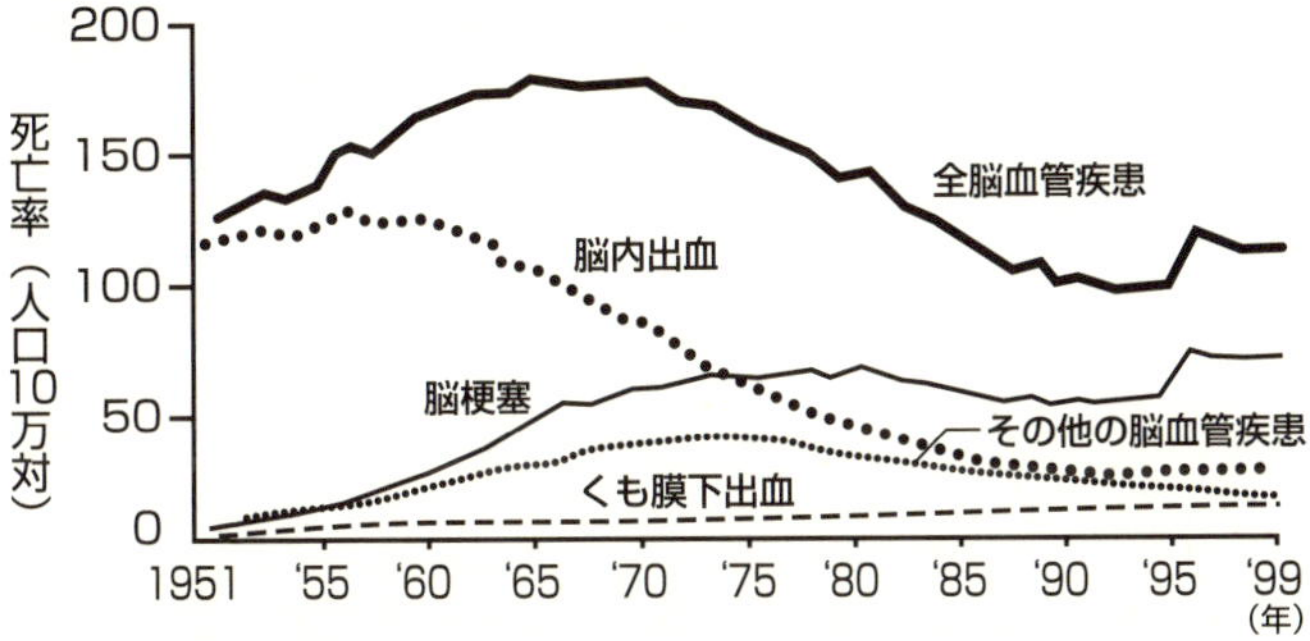

（注：全脳血管疾患は、脳内出血と脳梗塞とその他の脳血管疾患の合計。
くも膜下出血は、その他の脳血管疾患の再掲。）

「脳血管疾患の死亡率の年次推移」（厚生労働省「人口動態統計」）

しい。もしそうならば、同じ哺乳動物のイルカやクジラは海水を飲んで生活しているのだから、皆、高血圧や脳卒中で死に絶えるはずである。

こう考えると、万一、塩分が体に悪いとしても、化学的合成塩の食塩が問題なのであって、体内に必要な鉄、亜鉛、マグネシウムなど、約百種類のミネラルを含む自然塩は、健康にいいことはあっても悪いことは絶対にない、といっていいだろう。それでも塩分が恐いという人は、発汗や排尿で水分とともにナトリウムを排出すればいいのである。

(4) ペットボトルなど水分のとり過ぎ

ほとんどの医学者や栄養学者が、水分の多量摂取を強力に勧めている。「1日1ℓ以上飲め」とか、「夜間、トイレに行って排尿したら、その失われた水分くらいの量の水をとれ」とか、「入浴の前後やゴルフの前後にはしっかり水を飲め」などなどである。

これも心の底から本当に飲みたい人はいいとしても、飲みたくない人に水分を強制するのは、漢方医学的にいうと相当な疑問が残る。次のような例を考えてみていただきたい。

雨が降らなければ作物は育たないが、大雨が降って洪水が起きると作物は壊滅することもある。植木は水をやらなければ枯れるが、水をやり過ぎると根腐れする。体外の大気中

「冷え」と「水」「痛み」には密接な関係がある

図3　石原式「冷・痛・水」の三角関係図

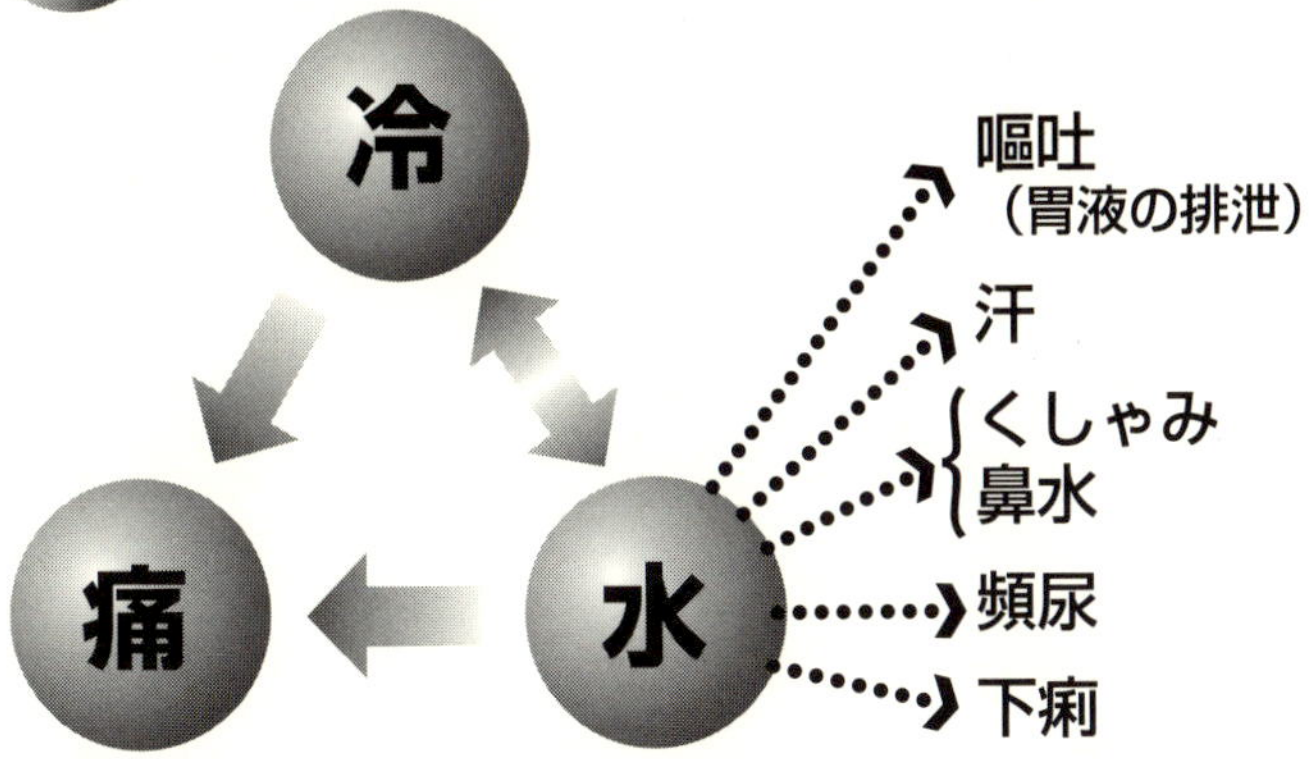

に水分が多い（高湿度）と不快指数が上がり、心身ともに不調になる……。

　このように、生命にとっては大切な水も、多過ぎると害になることもあるのだ。「過ぎたるは及ばざるがごとし」とはよくいったものである。

　上の図3を見ていただきたい。子どもが寝冷えすると下痢（水様便）することがよくあるし、冷房に入ると頭痛がする人もいる。雨（水）が降ると腰痛や神経痛がひどくなったりもするように、「冷え」と「水」と「痛み」とはお互いに関連し合っている。

　17ページで述べたように、人間は体温が低下すると死ぬ。屈強な若者でも、冬山で遭難すると、外傷を負わなくても冷えのために死ぬことがある。そうした特殊な事情を除くと、健康な人は病気はしない。ガンも高血圧も風邪も糖尿病も、健康から少し外れたところに病気は存在するのである。よって、図3から、病気は「冷え」から起こってくることがわかる。

雨に濡れると体が冷えるように、また、冷却水という言葉があるように、35℃の外気温なら暑いと感じるのに、35℃の風呂はぬるいと感じるように、水は体を冷やす作用がある。よって、体は冷えると「病気にならないように」、または「病気を治そうとして」、冷えの一因である体内の余分な水分を体外に排泄して体を温めようとする。

寝冷えすると下痢する、冷えて風邪をひくと鼻水、くしゃみが出る、偏頭痛持ちの人が、ひどくなると嘔吐《おうと》する、大病すると寝汗をかく、老人が夜間頻尿《ひんにょう》になるなども、すべて体内の余分な水分を捨てて体を温め、何とか病気を治そうとする反応と考えていい。

このように体内に余分な水分がたまり、排泄できない状態を、漢方では「水毒」という。

「水毒」が表れた病気には、次のような例がある。

「メニエル症候群」――めまい、耳鳴りがし、ひどくなると吐き気や動悸《どうき》がしてくる病気であるが、これも漢方的にいうと水毒症状である。平衡感覚を司る内耳のリンパ液という水分が過剰になって起こるのである。よって、平衡の調節がうまくいかないのでめまいがするし、耳の中に水分が多いので、海水浴で耳に水が入った時のように耳鳴りがするわけだ。

メニエル症候群になると、体としては何とかこの症状を改善すべく、胃液を排出（嘔吐）して体内の水分を少しでも減らそうとする。また、水分を体内で消費するには代謝を上げればいいのだから、脈拍を増加させる（頻脈、不整脈）。脈が10回増えると、代謝は約10％促進されるからだ。

西洋医学的にいう「（うっ血性）心不全」の諸症状も、漢方でいうと水毒症状である。

心臓の力が低下し、血液を体の隅々まで十分に運べなくなると同時に、全身に行った血液が心臓に十分に戻れなくなる。すると、まず下肢にはじまり、肺、肝臓、腹膜などに水分がたまり、肺水腫（セキ、呼吸困難）、うっ血肝（肝腫大）による肝機能障害、腹水などとして、水分が体のいろいろな臓器にたまってくる。こうなると当然、尿の量は少なくなる。

長期入院して毎日点滴を受けている患者さんの中には、点滴過剰による水毒＝うっ血性心不全が増えているような印象がある。

このように、水分は体にとって一番大切なものではあるが、それは尿や汗で存分に排泄できた場合であり、体内にたまると水毒、つまり「毒」にすらなることを、漢方医学では２０００年も前から指摘してきたのである。

宇宙の原則は、「出す」ほうが先である。呼吸（呼《は》いて吸う）、出入口、give and take のごとく。いまの日本人は、水分に限らず、脂肪、糖分、プリン体などの栄養過剰物を入れ過ぎたために、高脂血症・脂肪肝・動脈硬化症、高血糖（糖尿病）、痛風などを起こし、出せないで苦しんでいるのである。

⑥薬（化学薬品）ののみ過ぎ

化学薬品は甲状腺ホルモン剤を除けば、ほとんどが体を冷やすと考えていい。

その最たるものが解熱剤である。

リウマチの人に対し、「あなたはお茶や果物《くだもの》が大好きでしょう」と尋ねると、びっくりしたような顔をされ、異口同音に「どうしてわかるのですか。どちらも大好きです」との答えが返ってくる。

お茶はビタミンCや抗酸化物質のカテキンを、果物もビタミンやミネラルや酵素類を多く含み、ある面、健康食品ではあるのだが、お茶の99・6％は水分であるし、果物も水菓子の異名があるように、90％以上は水分でできている。

したがって、あまり体を動かさない人がお茶や果物ばかりとっていると水分過剰になり、体を冷やして痛みの病気になりやすいわけだ。

リウマチをはじめ、痛みには鎮痛剤を処方するのがふつうである。しかし、その時の一時的な痛みは止めても、鎮痛剤は鎮痛解熱剤ともいわれるように、ほとんどが体を冷やす作用があるので、次の痛みを作る準備をするようなものなのである。その点、漢方のリウマチの薬の桂枝《けいし》加朮附湯《かじゅつぶとう》は、発汗・利尿を促して水分を追い出し、体を温める薬なので、理にかなっているといえるだろう。

鎮痛、解熱剤に限らず、ほとんどの化学薬品は体を冷やす。それは薬の副作用によって、時として生ずる薬疹《やくしん》（ジンマシン、湿疹）や嘔吐を考えればわかる。薬で体が冷えるので余分な水分を体外へ排泄し、体を温めようとする反応だからである。

よって、高血圧や肝臓病、高脂血症、膠原病などのため、ただ漫然と長期に化学薬品を服用することは、体を冷やし、そのことがさまざまな病気の下地になることもあるということを忘れてはならない。

「温めてほしい!」体のこんな〝サイン〟を見逃すな!

「自分は冷え性ではない。むしろ暑がりだ」という人の中にも、冷え性の人が結構多い。「手足がほてる」という人でも、お腹を触診すると冷たい人がたくさんいるものだが、お腹が冷たい人は冷え性＝低体温といっていい。

漢方では「お腹」のことを「お中」といい、体の中心と考える。中心が冷えていたら、たとえ手足が熱く感じても冷え性と考えていい。手足のほてりは、むしろ体内の熱が外に逃げている様子であり、手足の表面が熱いだけなのである。

汗かきの人も冷え性と考えていい。漢方では汗かきの体質を「虚証」（体力低下）に分類する。汗をたくさんかくということは、体内に水分が多いからである。

本当の汗というのは、十分に運動した時にかくものだ。あまり運動をしていないのに、ちょっと動いただけとか、食事をしたりするだけで大汗をかくのは、体内の余分な水分を捨てて体を温めようとする反応であり、極度の精神緊張をした時に出る「冷や汗」と同様

これが“体が冷えている”サイン だ！

の意味がある。この冷や汗も、水分を捨てて体を温め、ストレスに対抗しようとする反応であるからだ。足がむくむ人も冷え性である。むくみの成分は水だから、むくむ人は水毒傾向があるといっていい。

冷え性かどうかは、「お腹の冷たさ」「汗の量」「むくみ」などで判断できるが、他覚的に診断する方法がある。それは「瘀血《おけつ》」によるサインである。

冷え＝体温低下が生じると、体の全細胞臓器の代謝が悪くなる。心臓、血管系の働きも低下し、血液の流れが悪くなり、まず、体表を走る静脈系の小血管の血液の流れの滞りとして表れてくる。それが、漢方でいう瘀血なのである。

47ページの絵に示すように、体表の毛細血管の血液の滞りによる症状のオンパレードになるわけだ。こうした他覚症状にともない、肩こり、頭痛、めまい、耳鳴り、動悸、息切れ、神経痛などの自覚症状も出現してくる。瘀血のサインを見逃して放っておくと、炎症や腫瘍や心筋梗塞・脳梗塞など本格的な病気に進んでしまうことが多い。

2章

「ただ温めるだけ」で見事に治ってしまうメカニズム

――なぜ、ムリをしないで自然によくなるのか

なぜ、この病気にかかるのか

病気や症状を西洋医学的にいうと、何千、何万種類もの名があり、それぞれに原因があるとされている。そして、その原因がわからないと、原因不明であることの代名詞として「特発性」とか「本態性」という言葉を冠して、症状のみを抑える対症療法に終始する。

「特発性血小板減少性紫斑病」とか、「本態性高血圧」などがその例だ。

また、肺炎や胆のう炎などの感染症や脳梗塞や心筋梗塞などの血栓症、ガンなどの原因は、細菌であったり、血小板の粘度が増すことであったり、遺伝子の突然変異による異常増殖とされる。

けれども、それではなぜ細菌が体内に侵入してくるのか、血小板が粘度を増して血栓を作るのか、遺伝子が突然変異を起こすのか……などについては、納得のいく説明はいまだもってされていない。

一方、漢方医学的には、２０００年も前から「万病一元、血液の汚れから生ず」として病気の原因を特定している。すべての病気の原因はたった一つで、それが「血の汚れ」であるなどというと、西洋医学からは荒唐無稽《こうとうむけい》と一蹴《いっしゅう》されそうであるが、実はこのことは一理も二理もあるすばらしい哲理なのである。

前出のように血液の流れが悪くなることを瘀血《おけつ》というが、この状態は、まるで小川のきれいなせせらぎが、流れが悪くなってドブ川になるように血液が汚れているということだ。つまり、「瘀血」が「汚血」になるのである。

この「血液の汚れ」とは、西洋医学的にいうと、尿酸、尿素窒素、乳酸、ピルビン酸など、さまざまな老廃物が血中に増えてくることである。また、コレステロールや中性脂肪、糖、各種ホルモン、赤血球や白血球、酵素類などの常在成分が増加する（まれに減少する）ことも血液の汚れと考えていい。

血液は全身の60兆個の細胞に供給されているのだから、血液が汚れると、あちこちの細胞が傷んでしまうということになる。したがって、**血液が汚れてくると、体の中ではその汚れから何とかして細胞を守ろうとする。**以下のような反応は、そうやって起きると考えられるのである。

血液が汚れている証拠① 発疹

皮膚は体を外界から保護する器官であると同時に、若干ながら呼吸、吸収、排泄など、肺や胃腸、腎臓などと同様の働きを行なっている。

特に汗腺からの発汗や、皮脂腺からの脂肪の排泄などは、まさしく体内の老廃物の排泄現象である。血液が汚れると、まず手っ取り早くこの皮膚の排泄機能を使って、体外に老廃物を出そうとするメカニズムが働く。それが発疹《ほっしん》である。

発疹にも、ジンマシン、湿疹、乾癬《かんせん》、フルンケル・カルブンケルなどの化膿疹《かのうしん》など、いろいろな病名がついているが、それは人間が後から勝手につけたもので、すべて体内の老廃物が外に出てきている様子にほかならない。

先日、ここ数年、手足の慢性湿疹に悩んでいる60歳代の女性から、

「風邪をひいた時、葛根湯《かっこんとう》を2～3日服《の》むと湿疹が必ず治るのですが、どうしてですか」

と質問されたので、

「葛根湯は風邪薬として有名ですが、体を温め、発汗を促し、体内の老廃物を捨てる薬です。皮膚病は体内の老廃物の排泄現象ですから、葛根湯の服用で効くことがよくあるのですよ」

と答えた。すると、

「先生、どうしてそのことをもっと早く教えてくださらなかったのですか。毎日、葛根湯を服用させてください」

という。そこで葛根湯を1カ月間処方したところ、慢性湿疹が完治した。実をいうと、この女性は乳ガンを手術したくないと私のクリニックを訪れた方だった。ニンジンジュースや自然食をとることで経過観察していたのだが、3年たっても乳房の腫瘍の大きさは変わらない状態を保っていた。ただし、手足の慢性湿疹のことについては、

「老廃物を外に出している様子ですから、気にしないようにしてください。その老廃物が外に出てこないと血液の中に残り、それが硬くなったのがガンと考えていいのですよ。湿疹の症状は、老廃物を排泄させて血液をきれいにしようという体内の作用なのです」

と説明して治療をしてこなかったのである。また、この女性は、

「私より後から乳ガンになって手術した人がどんどん死んでいるので、私も恐いです」

というので、

「あなたの場合、皮膚から湿疹という形で血液の汚れを出していたので、ガンも大きくならなかったのではないでしょうか」

と答えると納得された様子だった。

西洋医学では、ステロイドホルモン剤や抗ヒスタミン剤で、発疹という皮膚で発生する反応そのものを止めようとする。しかし、発疹は結果であって、あくまでも原因は血液の汚れなのだからなかなか治りにくい。つまり、発疹を止めることは、大便・小便の排泄を止めるようなものなのである。

その点、漢方では先ほどの葛根湯や十味敗毒湯《じゅうみはいどく》、荊芥連翹湯《けいがいれんぎょう》など、体内の老廃物を外に出す発散剤の力で治療を図る。したがって体内の老廃物が捨てられ、皮膚病が根治することも多いのである。

このように、発疹は体内の血液の汚れの排泄現象、つまりは、血液の浄化反応と考えていいのである。

こんな症状は血液が汚れている証拠

血液が汚れている証拠②　炎症

血液の汚れを発疹という形で体外に出す力がない冷え性の人や高齢者、体力のない人、また、せっかく発疹が出ても、薬で発疹を抑えてしまう人は血液の浄化ができない。

こうなると、次に体が起こす反応が炎症である。肺炎、気管支炎、膀胱炎《ぼうこう》、胆のう炎などは、ばい菌の力を借りて体内に炎症を起こし、血液の老廃物を燃焼しようとする反応と考えていい。この炎症につきものなのは発熱と食欲不振だ。なぜかといえば、発熱とは老廃物が燃えている所見であるし、食欲不振は血液を汚す最大要因の「食べ過ぎ」を一時的にストップさせる反応だからである。

西洋医学では、細菌、ウイルス、真菌（カビ）などを炎症の病原菌として目の敵《かたき》にし、それらを退治するために抗生物質の開発に躍起になってきたが、はたしてそれで正しいのだろうか。

ばい菌はドブ川、肥溜《こえ》め、ゴミ溜めなど汚いところにはウヨウヨと生存するが、清流やコバルトブルーの海の中には存在しない。ということは、地球上の不用物、死んだ物、余ったものなどを分解して土に戻す働きが、ばい菌の地球上での使命なのである。よって、体内にばい菌が侵入して肺炎や胆のう炎などの炎症を起こすことは、血液が汚れていることにほかならない。

こうして炎症疾患に対して、日本では卵酒《たまござけ》（日本酒の熱《あつ》カン1合に卵の黄身《きみ》1個を加える）や生姜湯《しょうがとう》（97ページ）、西欧でもレモンウイスキー（ウイスキーのお湯割りにレモン汁を入れたもの）や赤ワインの熱カンを飲む習慣があるし、漢方では葛根湯を処方する。

こうしたアルコールや葛根湯は、細菌やウイルスを殺すように働くのではなく、体自体を温めて発汗させ、血液の汚れをなくすことによってばい菌が体内（血液内）に入ってくる理由を取り去るのだ。

したがって、軽い炎症ならこうした体を温める飲み物やサウナ、入浴、軽いジョギング、ふとんをかぶって寝て発汗することなどで治ってしまうことが多いのである。

こう考えると、抗生物質で殺菌したり、解熱剤をいきなり投与する西洋医学的手法は、一時的に症状は抑えることはできても、かえって炎症を長引かせたり、再発させたりすることが多いわけがわかる。

血液が汚れている証拠③　動脈硬化、高血圧、血栓

血液の汚れを浄化しようとする反応として、①、②であげた発疹や炎症があるが、そうした反応を起こす体力のない高齢者や虚弱体質の人もいる。高齢者にはアトピー性皮膚炎はまれであったり、また、高齢者には無熱性肺炎という発熱すらしない炎症があるように、体力のない人は血液の汚れを体外に発散する力が弱い。

たとえ発疹や炎症による発熱が生じても、化学薬品で無理に抑えようとすると、血液は血管の内壁に汚れを沈着させてでも血液自身を浄化させようとする反応が表れる。これが「動脈硬化」だ。その結果、体中の血管をつなぎ合わせると10万kmにもなるこの血液の通り道が細くなる。すると、心臓はより力を入れて血液を押し出さなければならない。それが「高血圧」である。

この高血圧の症状に対し、西洋医学では心臓の力を弱める薬であるβ《ベータ》・ブロッカー製剤（これは効き過ぎると当然、心不全になる）や血管拡張剤を使う。

それにより、高血圧による2次障害の脳卒中や高血圧性心不全などを一時的に免れることができても、同じ生活を続けていると、また血液が汚れてドロドロしてくる。こうなると、血管の内壁にその汚れを沈着させようとしても、血管が細くなり過ぎるので限界がくる。これによって血管の中で血液の汚れ（多過ぎるコレステロールや中性脂肪、尿酸なども含む）を固めてしまい、血液をなんとかサラサラに保とうとする。その固まりが「血栓」だ。血栓にもこのような存在理由があるのである。この血栓にも見られるように、すべての病気には理由がある。より健康になろう、病気を治そうとする反応なのだ。

また、つきつめれば、肝臓で作られる胆汁や腎臓で作られる尿も血液からできるので、血液が汚れている人は胆汁や尿も濃く、汚れているということになる。その結果として起きる胆汁や尿の流れをサラサラに保とうとする反応が、胆汁や尿が固まってできる「胆石」や「尿路結石（腎臓結石や尿管結石）」ということになるわけである。

血液が汚れている証拠 ④ ガン、出血

西洋医学的な立場では、動脈硬化、高血圧、血栓、結石などは、すべて体にとって悪い反応（病気）だと見なす。

そのため、西洋医学ではそうした症状に対しては、手術で切除したり、薬物で抑えたりなどと、表面の現象を消し去ろうと図る。つまり、病気の原因についてはうんぬんせずに、結果を取り去ろうとするわけだ。しかし、血液の汚れはそのまま残ってしまう。こうなると、残っている血液の浄化方法としては、出血させることと、1カ所に汚れを固める方法くらいしかない。

この2つの血液浄化法が具現された病気がガンである。

ガンの特徴的な症状として、出血がある。喀血《かっけつ》（肺ガン）、吐血（胃ガン）、下血《げけつ》（大腸ガン）、血尿（腎臓、膀胱ガン）、不正出血（子宮ガン）などは、ガンが必死に浄血を図っている様子と考えていい。つまり、出血によって汚れた血液を体外に排泄しているわ

けだ。また、汚れを1カ所に固めてできたものが、まさしくガン腫である。

アメリカの医学者で栄養学者でもあるパーボ・アイローラ博士や、日本の自然医学界の最高権威・森下敬一博士は、「ガンは血液の汚れの浄化装置である」という考えを主張してこられたが、東洋医学的視点からすると、まさに肯定できるのである。

その他、胃潰瘍《いかいよう》の出血や脳出血、小さいところで鼻血や痔の出血、歯肉からの出血、月経過多なども、血液の浄化反応の一つと考えていい。

ドイツのミュンヘン市民病院を視察した時、内科、外科、婦人病という標榜《ひょうぼう》科の中に、65年の伝統を誇る「自然療法科」があった。自然療法科では温熱療法、ハーブ療法、ヒドロセラピー、針炎《しんえん》療法などの自然療法の一つとして、ヒル療法が行なわれていた。これはガン患者やリウマチ患者に対し、ヒルに汚血を吸わせるという浄血療法なのである。

出血は、もちろん、ただちに医学的処置の必要がある脳出血や潰瘍からのものなどもあるが、これらは病気であるというサインと同時に、血液が汚れているというサインでもある。したがって、こうした出血性疾患の根治療法は、血液をきれいにすることに尽きるわけだ。

病気と闘う「白血球パワー」を活かせ！

風邪や肺炎、胆のう炎などの感染症、リウマチや潰瘍性大腸炎などの自己免疫性疾患、ガン、肉腫などの悪性腫瘍などはもちろん、心筋梗塞の発作や脳出血発作などの循環器疾患でも、少しひどくなると必ず発熱を伴い、また食欲不振に陥る。

発熱や食欲不振は、病気であるということを示すサインであると同時に、病気を治そうとしている治癒反応でもある。つまり、食欲不振とは、血液を汚す最大の要因である「過食」をストップさせる反応であるし、発熱は血液の中の汚れ（老廃物）を燃焼させて血液を浄化している様子と考えていい。

日頃、この血液の汚れ（老廃物）を処理してくれているのは、血液の中にある白血球である。その他、白血球といえば、殺菌作用やガン細胞をやっつける作用、また、免疫物質（免疫グロブリン）を作る血球として知られているが、白血球にはこのほかにも、以下のようなさまざまな種類と働きがある。

少々専門的になるが、なぜ白血球には万病を治す力があるのかを簡単に示しておこう。

●好中球（白血球全体の中の40～70％）・細菌の貪食《どんしょく》・殺菌
・老廃物の貪食処理

●リンパ球（20～55％）・Tリンパ球――ヘルパーT細胞＝免疫系の司令塔
――キラーT細胞＝病原菌に侵された細胞の破壊
――サプレッサーT細胞
・Bリンパ球――抗体の産生
・NK細胞――ガン細胞をやっつける

●単球（マクロファージ、2～7％）・病原体や老廃物の貪食処理
・TNF（腫瘍壊死《えし》因子）の産生

●好酸球（1～5％）・アレルギー疾患の治療

●好塩基球（0〜1％）・抗脂肪、抗血栓作用

こう見てくると、白血球は体で起こるすべての病気の治療に関わっていることがわかる。病気を予防したり、治したりするには、この白血球の働きをよくしてやればいいということになる。

●あなたの白血球を最高に働かせるには？

では、白血球の働きをよりよくするにはどうしたらいいか。

好中球1個で細菌を10〜20個貪食するが、たくさん食事をした後や、甘い物をたらふく食べた後に採血して白血球の貪食力を調べると、その働きは半減している。つまり、飽食してお腹がいっぱいになると、白血球も腹いっぱいになると見えて、ばい菌や老廃物の貪食力が低下するということになる。

このことは血液中の糖分が増える高血糖症（糖尿病）の人は、免疫力が低下するということになる。逆に空腹や断食中の人の血液中の好中球は、それ自身もお腹が空いていると見えて、老廃物やばい菌などの貪食力が倍増する。つまり、空腹時には免疫力が上昇する

あなたの白血球をもっと働かせろ！

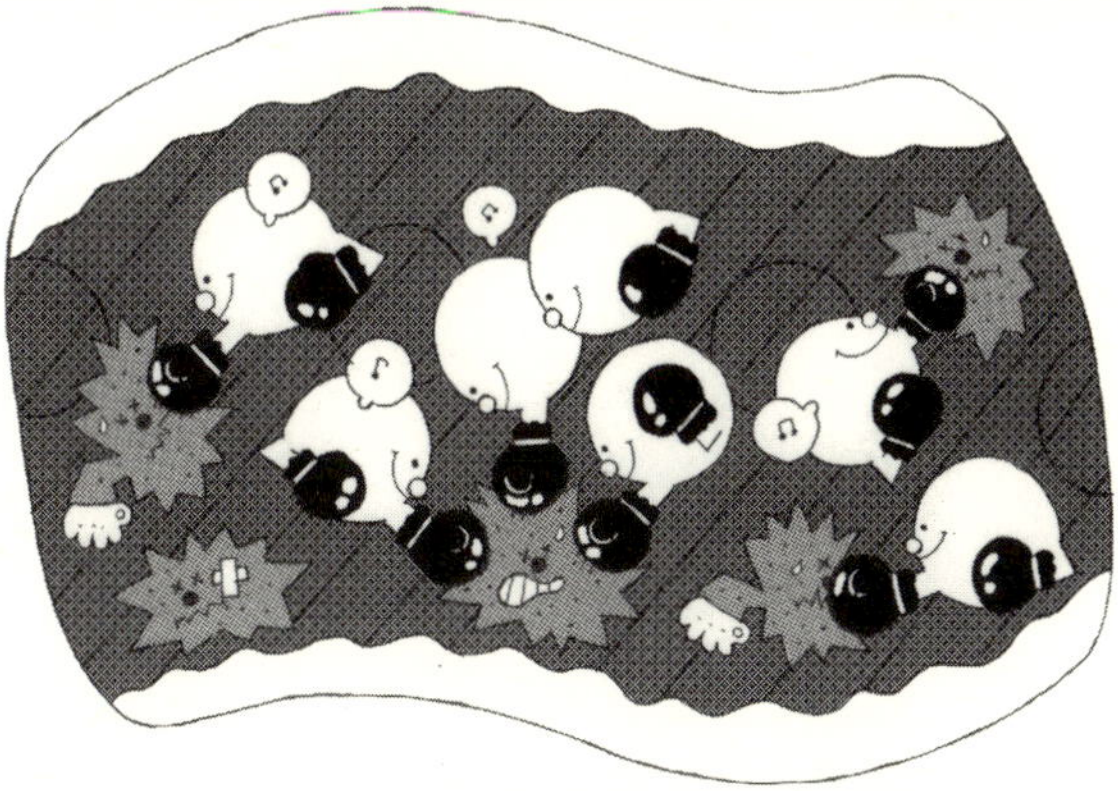

白血球の能力は体温上昇で上がる

わけだ。病気になると食欲不振に陥るのはこのためである。

　私が大学院時代に白血球の研究をしていた時、運動後や入浴後には好中球の貪食能力が上昇することに気づいていたが、結局は体温上昇が、好中球のみならず、リンパ球、単球、好酸球、好塩基球などすべての白血球の働きを促進させることがわかった。**ほとんどの病気で発熱するのは、この白血球の働きを高めて病気を治そうとする自然治癒力の表れ**と考えていいだろう。

　つまり、日頃から体を温める工夫をしておくことで、病気を防ぎ、治すことができるのである。

3章

この食生活があなたの〝体熱〟をつくりだす！

——「熱を上げるクスリ」はない。だから食べ物、食べ方が大事なのです

これが体を強力に温める「プチ断食基本食」!

これからあげる基本の朝食・昼食・夕食といった食生活は、体を温め、健康の維持、増進、病気の予防には絶大な効果を発揮する。

また、食べ過ぎと冷えからきている現代文明人の宿敵である肥満、高脂血症、脂肪肝、高血圧、痛風などに著効を表すだけでなく、アレルギー(喘息、湿疹、アトピー、鼻炎)や胃腸病、婦人病、リウマチや潰瘍性大腸炎などの自己免疫病などの病気も「冷え」と大いに関係しているので、この食生活を続けることによって、必ず改善に向かってくる。ガンの予防、再発や転移の防止にも有効である。

●朝食

「ニンジン・リンゴジュース」だけをとる。

①ニンジン2本(約400g)とリンゴ1個(約300g)をジューサー(ミキサーでは

ない）にかけて、約480cc（コップ2・5杯）の生ジュースを作り、これをゆっくり噛むようにして飲む。朝食はこれだけでいい。

もし、この①のジュースを飲むと体が冷えるような感じがするなら、

②「生姜紅茶」（黒砂糖またはハチミツ入り＝96ページ）を1～2杯飲む。

生ジュースが苦手な人や、飲むと体が冷える人は、この生姜紅茶を飲むだけでもいい。

要するに、これ以外の食べ物をとらないことだ。

●昼食

そば、または軽く和食をとる。

そばは、ざるそばか、またはトロロそばやワカメそばにし、ネギやワサビ、七味唐辛子などの薬味は存分にふりかける。

●夕食

和食を中心に、好きなものを、好きなだけ、よく噛んで食べる。アルコール好きの人は、飲み過ぎない限り、適度に飲んでいい。

この「プチ断食」ともいうべき食生活のパターンは、慣れれば、空腹を感じたり、力が出ないといった感覚に襲われるといった心配はない。しかし、日中に空腹を感じたり水分が欲しい時は、生姜紅茶（黒砂糖またはハチミツ入り）か紅茶を飲むといい。

この食生活を実行し、4章で述べる特効のウォーキングや入浴法で体を温めてもなおかつ体調が改善しない時は、何を食べるかというよりも、よく噛むことや、食べる物を少なくすることに主眼をおいて実行するといい。同時に、生姜湿布（126ページ）を患部に施したり、症状に合わせて、これからあげる梅醤番茶《ばいしょうばんちゃ》（98ページ）や卵醤《らんしょう》（102ページ）などといった体を温める飲料をとるようにすることだ。

●なぜ、この「基本食」が体を温め、万病の予防・改善につながるのか

朝食は英語でbreakfast《ブレックファースト》という。これは、「fast（断食）をbreak（やめる）食事」という意味である。私たちは夜食をとらない限り、夕食から翌日の朝までは何も食べずに過ごす。どんなに食生活が乱れた人でも、睡眠中は何も食べない。短い時間であれ、断食をしているという状態だ。

断食経験がある人ならご存じの通り、数日間の断食をした後の1食目は薄い重湯《おもゆ》からは

これが体を温める“プチ断食基本食”

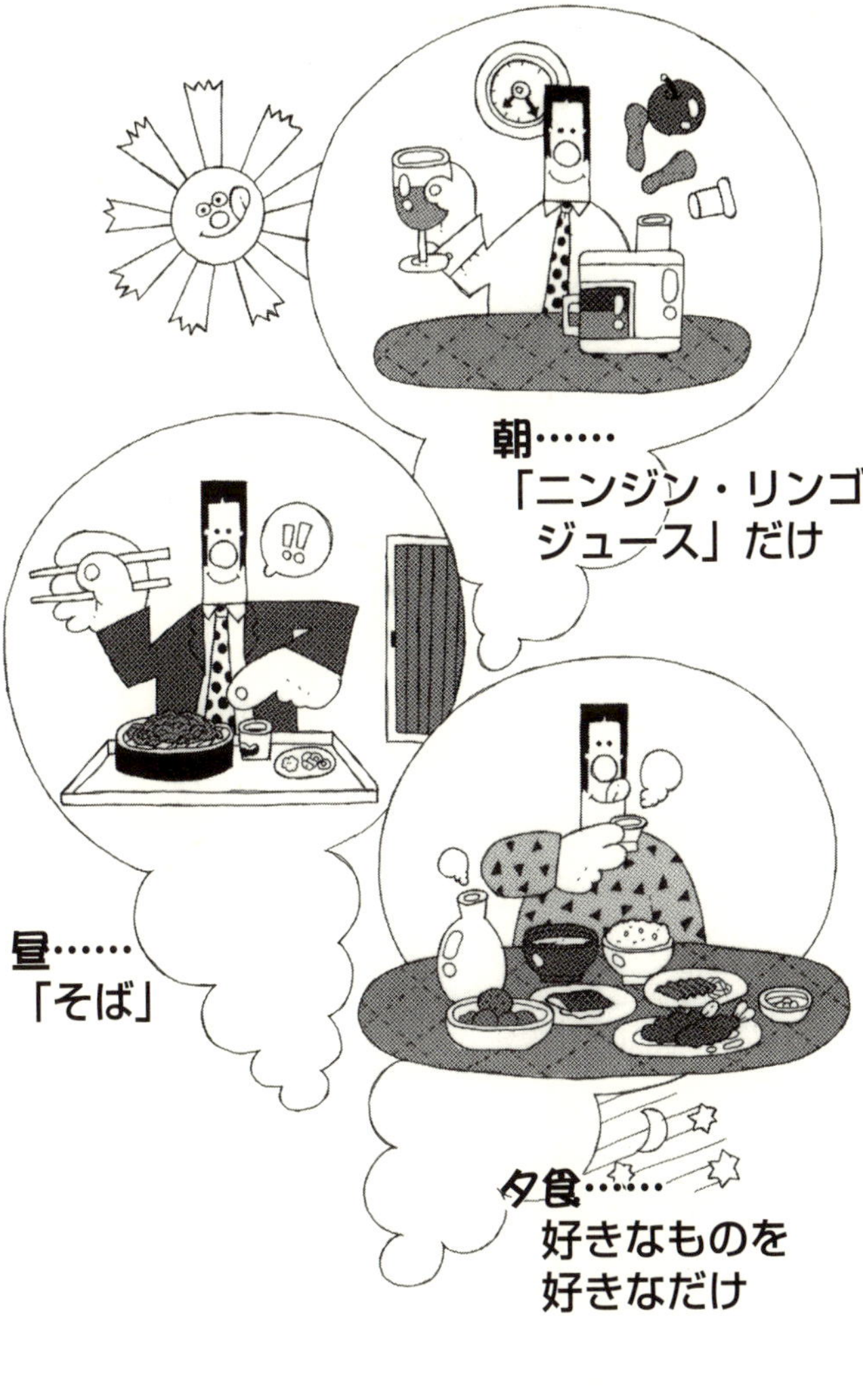
朝……
「ニンジン・リンゴジュース」だけ
昼……
「そば」
夕食……
好きなものを好きなだけ

じめ、次に重湯、お粥《かゆ》と徐々に食事の量を増やしていく。断食後にいきなり普通食を食べようものなら、嘔吐、下痢、腹痛などを起こしたり、名状しがたい不快感とだるさで身の置き場がなくなるほどつらくなったり、悪くすると腸捻転《ちょうねんてん》を起こしたりもする。これは休息していた胃腸にいきなり食べ物を入れると、胃腸が対応できないからだ。

それと同様に、朝食はいうならば「ミニ断食」をした後の1食目ということであるから、この考えでいえば、食べたくない人は食べる必要は毛頭ないし、たとえ食べたい人でも、高脂血症や糖尿病、脂肪肝、痛風など栄養過多病で悩んでいる人は食べる必要はまったくない。

ただし、現代の医学者や栄養学者は「朝食は一日の活動のエネルギー源になるし、朝は体の働きを統合している脳に栄養を与えなければならないので、必ず食べるべし……」と主張する。いったい、どちらが正しいのだろうか。

脳や筋肉をはじめ、体のほとんどの細胞のエネルギー源は、ほぼ100パーセントが糖分に由来している。したがって、糖分が決定的に不足すると起こる「低血糖発作」は存在するが、タンパク質や脂肪が不足しても「低タンパク発作」や「低脂肪発作」は存在しないわけだ。だから、脳の覚醒《かくせい》と全身の細胞の活動のためには、朝は糖分さえ補えればいい、ということになる。

そこで、先ほどの「基本食」だ。**ニンジン2本とリンゴ1個で作る生ジュースは、糖分、ビタミン、ミネラル、水分を十分に含んでおり、吸収に際しても、睡眠明けで断食状態から目覚めたばかりの胃腸に負担をかけない**ので一番いいのである。

１９７９年に、スイスのチューリッヒにあるベンナー病院に勉強に行った時に驚かされたことがあった。この病院では１８９７年の設立以来、肉、卵、牛乳、バターなどの動物性食品は一切食事に出さず、黒パン、ポテト、ナッツ、生野菜、漬け物、岩塩、ハチミツなどの自然食に加え、毎朝のニンジン・リンゴジュースを患者にとらせるだけで、世界中から集まってくる難病・奇病患者を治しているという事実だった。

当時の院長のリーヒティ・ブラシュ博士に、

「なぜ、ニンジンジュースがそんなに効くのですか」

と尋ねたところ、

「このジュースは、人体に必要なビタミン、ミネラルをすべて含んでいるからだ」

というのが答えであった。

「ニンジン」の学名はDaucus Carrota、というが、このdaucusというのは「温める」という意味のギリシア語である。後に詳しく述べる漢方の陰陽論でも、赤い色をして硬い根菜類のニンジンは体を温めてくれる。また、糖分も存分に含んでいて、朝、いまだ眠りから十分に覚めやらない脳をはじめ、体の全細胞に糖やビタミンやミネラルを供給し、熱を与えて一日の活動を始める原動力になるのである。

ただ、体を温めるニンジンと、果物ではあるが、北方産で体を冷やす心配のないリンゴといえども、ジュースという水分にすると、まれに冷えを感じたり、胃のむかつきや冷えからくる肩こり、頭痛を訴える人がいる。そういう時は、この生ジュースの飲用量を減らし、生姜紅茶に黒砂糖かハチミツを入れて飲むといい。これならば糖分を十分に含んでいるうえに、体を温める生姜紅茶が相乗的に働く。体温が上がるため、午前中特有のだるさやうつ気分がとれ、排尿が促されて血液が浄化されるからである。

朝、ニンジン・リンゴジュースを作る時間的余裕がない人や、飲むと体が冷える人（ごくまれにいる）は、この生姜紅茶を1〜2杯飲むだけでもいい。

「基本食」で昼食にそばを勧めるのにも理由がある。この昼食は、前日の夕食から、朝のニンジン・リンゴジュースをはさんでの約18時間の「ジュース断食」をした後の補食の1食目ということになるからだ。

そばは消化がよく、補食の1食目としては胃腸に負担がかからない。加えて、そばには糖分及び8種類の必須アミノ酸をすべて含む優秀なタンパク質、ビタミンやミネラルが存分に含まれるうえに、北方産で濃い色をしているので、体を温める作用に優れている。このように、**必要な栄養分をとりながら、しっかり体を温めるという点で理想的な補食メニュー**なのである。これにネギや七味唐辛子をたっぷりふりかけて食べると、ネギの中に含まれる硫化アリルや唐辛子のカプサイシンが血行を促し、体を温めて発汗作用を発揮するために血液をきれいにしてくれる。また、ワサビには食欲増進効果のほか、大腸菌、ブドウ球菌、緑膿菌などに対する抗菌効果があり、食中毒を防ぎ、整腸作用を促す。加えて胃や十二指腸潰瘍の予防や改善にも役立つ。

温かいワカメそばやトロロそばにすると、さらに効果が倍増する。ワカメには、さまざまなビタミンやミネラル、食物繊維が野菜よりもずっと多く含まれており、そのうえ、降圧作用や抗コレステロール作用を有するアルギン酸や抗ガン効果のあるセレニウムなども含まれている。ヤマイモには滋養強壮作用を有するネバネバ成分のムチンや血糖を低下させるデオスコランをはじめ、消化酵素のジアスターゼやアミラーゼも含まれているからだ。

「基本食」での夕食は、和食を中心とすれば、好きなものを好きなだけ食べていい。「好きなだけ」とはいっても、朝食や昼食をニンジン・リンゴジュースやそばにしているので、一日トータルで見たときには腹八分目となり、食べ過ぎの害が防げる。

一般に、食事制限をすると、食べるという満足感がないため、常にイライラしたり、反動で食べ過ぎたりといったことが多い。**この基本食なら夕食で十分に満足するので、夜食や間食をしたくなるという心配もない。**

もちろん、何を食べてもいいとはいっても、これから述べる「体を温める食材」を中心にすることだ。加えて、よく噛んで食べることも体を温めるうえでは重要である。

自分に最適の温め方は「陽」と「陰」で決まる！

いまの栄養学は、タンパク質の多いものや、ビタミン、ミネラルを多く含む食品を「栄養がある食べ物」と見なす分析学である。糖やタンパク質1gからは4kcalの熱（エネルギー）が出て、脂肪からは9kcalの熱が生じるとしているので、その食べ物のタンパク質や脂肪、糖分の含有量で、その食べ物を食べた時の体内でのエネルギー産生量を決める。

しかし、それらを食べた場合、体を温める作用があるとか、逆に冷やす作用がある、という考え方はしない。ところが、実際はどうだろうか。たとえば、スイカを食べると明らかに体全体が冷えることを感じるし、生姜や味噌汁を食べると、体は温かくなる。漢方ではスイカ、キュウリ、トマトなど、食べると体を冷やす食物を「陰性食品」とし、味噌やしょう油、塩、生姜など、食べると体が温まる食品を「陽性食品」として区別して、健康増進や病気治療の時の「食養」の大原則としている。

物の性質を陰・陽に分けるのは何も食べ物に限ったことではなく、漢方では79ページの

図4のように宇宙のすべての事象が陽と陰に分けられると考えている。「陽」は、乾燥、熱、収縮という性質を持っており、「陰」は、湿（水）、冷え、拡張という性質がある。

人間の体質も「陽」と「陰」に分けられる。男は「陽」が強く、女は「陰」が強い。ただし、「ずんぐりむっくり、赤ら顔のおじさん」は強陽性で、男でも「色白、長身（上に拡がる状態）で、目が大きくて白髪になりやすい人」は陰性である。

陽性の体質をひと言でいうと、筋肉がよく発達した人といっていいだろう。生まれつき筋肉が発達していると首や手足が短く見えるので「ずんぐりむっくり……」になるわけだ。後天的に筋肉を鍛えた人も陽性である。人間の体温の40％以上は筋肉から出ているのだから、陽性体質の人は体が温かく、それゆえ体もよく動き、陽気で食欲も旺盛なので元気いっぱいの半生を過ごすが、一方、食べ過ぎてガン、脳梗塞、心筋梗塞などの欧米型の病気にかかって早死にする人も多い。力士がおしなべて短命であることを考えればよくわかるだろう。

逆に、陰性体質の人は、筋肉が少なく、代わりに脂肪か水分が体に多いので体が冷え、いつも肩こり、頭痛、めまい、耳鳴り、動悸《どうき》、息切れなどの不定愁訴《ふていしゅうそ》で悩む。病気にかかったとしても、低血圧、貧血、胃炎、アレルギー、リウマチ、うつ、むくみなどが多い。

あらゆるものが「陽」と「陰」に分けられる

図4

	陽（乾・熱）性	間　性	陰（冷・湿）性
特徴、かかりやすい病気	太陽、夏、昼		月、冬、夜
	赤、黒、橙、黄	～黄	青、白、緑、藍色
	男性、 とくにハゲ頭 暑がり、血圧高め 筋力あり、活発 便秘がち		女性、男性でも白髪 冷え性、低血圧、下痢 （または便秘） 体力ない、朝弱く、よいっぱり
	高血圧、脳卒中 心筋梗塞、便秘 欧米型ガン （肺、大腸など） 糖尿病、痛風		低血圧、貧血、胃炎、潰瘍、 胃ガン アレルギー、リウマチ、 痛みの病気、うつ病、精神病、 自殺、むくみ 膠原病、バセドウ病
食べ物の陰陽	北方産、硬い 赤、黒、橙、黄色のもの 塩、味噌、しょう油 メンタイコ 根菜 （ゴボウ、ニンジン、レンコン、生姜、ヤマイモ） 黒っぽいもの （紅茶、海藻、小豆、黒豆） 日本酒、赤ワイン 梅酒、お湯割りのウイスキー	黄色のもの 玄米、玄麦 黒パン、 トウモロコシ イモ、大豆 北方産の果物 （リンゴ、ブドウ、サクランボ、プルーン）	南方産、柔らかい、水っぽい 青、白、緑色のもの 水、酢、牛乳、ビール、 ウイスキー、コーラ、ジュース 南方産 （バナナ、パイン、ミカン、レモン、メロン、トマト、キュウリ、スイカ、カレー、コーヒー、緑茶） 白いもの （白砂糖、白パン、化学調味料、化学薬品） 葉菜類

※陽性病に分類した病気も、陰性体質の人に起こった時は、冷えからくる燃焼不足による高脂血症、高血糖が原因となる。

自分の体質に合った食べ物選びで健康に

図5　「陰性と陽性の食品」と「体質」の関係図

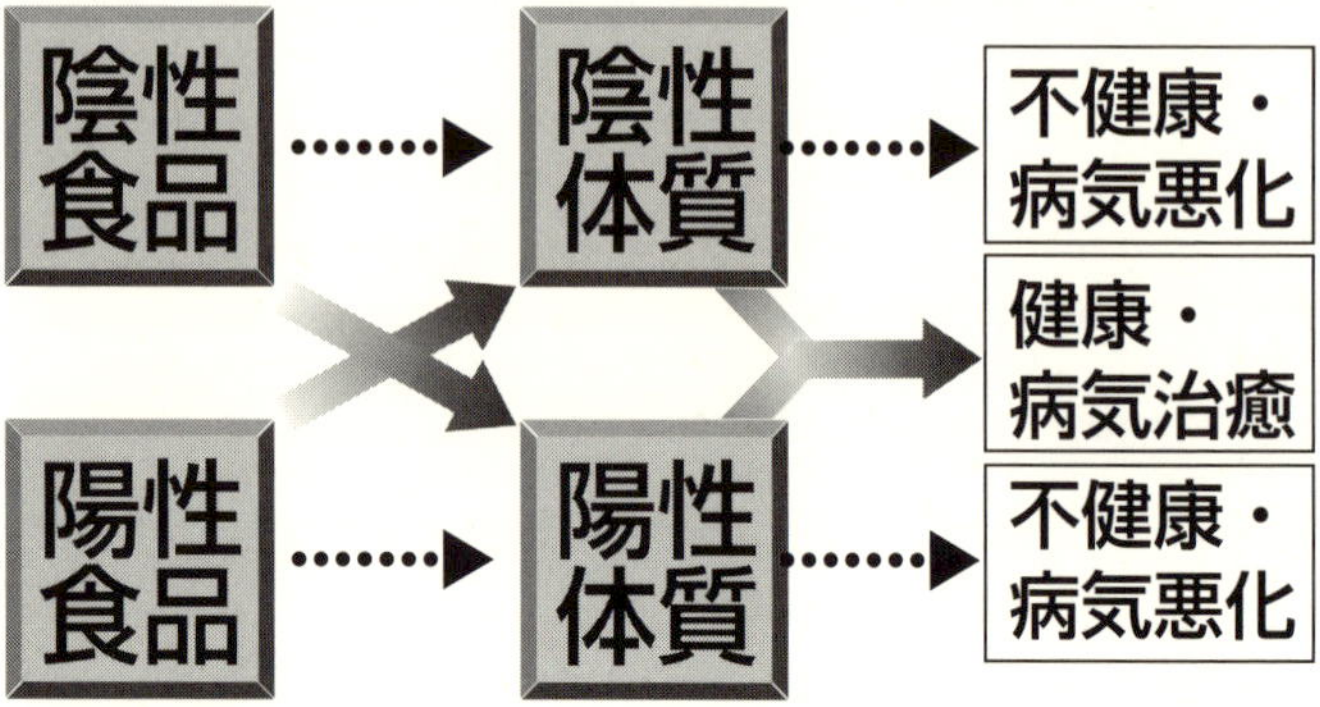

これらは死に直結するような病気ではないため、長生きする人も多い。

こうした陽性、陰性の体質の行き過ぎが病気を生むことになる。だから、病気の予防、治療には、自分の体質と反対の性質を持つ食べ物をしっかりとり、体質をできるだけ間性に持っていけばいいということになる。つまり、陰性体質だったり陰性の病気にかかっている人は陽性の食べ物をしっかり食べ、逆に、陽性体質だったり陽性の病気にかかっている人は、陰性の食べ物を十分にとることで間性の体質に近づき、健康が増進し、病気の治癒にもつながっていくわけだ。

もっとも、現代の日本人は低体温の人がほとんどであって、陽性体質の人はまれである。

ここだけ覚えておけばいい「体を温める食べ物」選び

「体を冷やす食べ物」については先に述べたが、もう一度、食べ物の陰陽についてそのチェックポイントをまとめておくことにしよう。体を冷やすものばかり食べていては、体は絶対に温まらないからである。

①一般に食べ物は南方産は×、「北」で穫れたものがいい

北方産の食べ物は体を温め（陽性食品）、南方産の食べ物は体を冷やす（陰性食品）。北方に住む人はただでさえ寒いのだから、自然に体を温める食べ物をとるようになり、また、それが育つ。南方に住む人は暑くて仕方がないのだから、そこでは体を冷やす食べ物をとるようになり、また、それらがよく収穫されるわけだ。

これは理屈ではなく、宇宙の原則といってもいいものである。

したがって、たとえば、そば、塩シャケなどの北方産の食べ物は体を温める。また、果

物は一般に体を冷やす作用があるが、例外としてリンゴ、サクランボ、ブドウ、プルーンなど、コーカサス地方（仙台と同緯度）原産の果物は体を冷やさないのである。

逆に、バナナ、パイナップル、ミカン、レモン、メロン、トマト（南アメリカ原産）、キュウリ（インド原産）、スイカ（西アジア原産）、カレー（インド原産）、コーヒー（エチオピア原産）などの南方産の食べ物は体を冷やす。体をよく動かさない人がコーヒーや緑茶ばかりを飲み続けると体が冷え、神経病や腰痛、リウマチなどの痛みの病気を起こしやすいのはこのためである。

②「硬い」ものは○、柔らかいものほど×

水は41ページでも述べたように体を冷やす。また、油は水とは反対の性質ではあるが、体を冷やすということでは同じだ。スイカとウナギ、スイカと天ぷらなどの食べ合わせで、下痢（水様便＝冷えの症状）をしたりするのはそのせいである。

スイカ（水）とウナギ（油）や天ぷら（油）は、ともに体を冷やし、相乗作用で冷えの症状である下痢を起こすのである。水や油を多く含むものの特徴は柔らかいということだ。したがって、柔らかい食べ物も、たいがいは体を冷やすと考えていい。

「体を温める食べ物選び」7つの基本

●水——酢、牛乳、ビール、ウイスキー、コーラ、ジュース、緑茶、コーヒーなど水分の多いものは体を冷やす

●柔——パン、バター、マヨネーズ、クリームなどは油（脂）を含んでおり（パン以外）、体を冷やす

●硬——チーズ、黒砂糖、氷砂糖、乾燥果物、せんべい、漬け物など原素材より硬いものは水分が少なく、体を温める性質が出てくる

③「赤・黒・黄・橙色」のものが○

●暖色（赤、黒、黄、橙）の食べ物——赤身の肉、チーズ、卵、タクアン、塩シャケ、メンタイコ、紅茶、小豆、黒豆などは体を温める

●冷色（青、白、緑）の食べ物——牛乳、緑の葉菜、青汁、豆乳、白砂糖、白パン、化学調味料、化学薬品、緑茶などは体を冷やす

④酢よりも「塩」がいい

●塩（Na＝ナトリウム）の多い食べ物――塩、味噌、しょう油、メンタイコ、チリメンジャコ、肉、卵、チーズ、漬け物、根菜（ゴボウ、ニンジン、レンコン、ネギ、タマネギ、ヤマイモ）などは体を温める

●酢（K＝カリウム）の多い食べ物――葉菜、北方産以外の果物、牛乳、ビールなどは体を冷やす

⑤温めも冷やしもしない食べ物に注目

玄米、トウモロコシ、イモ類、大豆、アワ、キビ、ヒエなどは、体を温めも冷やしもしない「間性」という食べ物で、黄～薄茶色の中間色をしている。いつ、どこで、誰が食べてもいいものなので、人類の主食になってきた食べ物は、みな、この間性の食べ物である。

⑥ビールより「日本酒」。白ワインより「赤ワイン」

ビール、ウイスキー（特に水割り、オン・ザ・ロック）は体を冷やす。原料の麦に体を冷やす性質があるからだ。

ただし、ブランデーやワインの原料は、北方産の果物のブドウ（間性）が原料で、アル

コールの形に変化しているので体を温めるといっていい。白ワインより赤ワインのほうが体が温まるのは、色から考えてもすぐわかる。

紹興酒《しょうこうしゅ》は色が濃く、中華料理（漢民族は北方の民族なので、体を温める料理をとる）につきものであるので体を温める。

日本酒は原料が米で、水分も約86％（アルコール度は約14％）と、ビール（水分約93％）よりずっと少ないので体を温めるし、熱カンにすると、その作用がさらに強くなる。

⑦体を冷やす食べ物をとるならこの工夫

陰性体質の人が陰性の食べ物を食べたい時は、次の例のように、火を加えたり、塩を加えたりすることによって、陰性の食べ物を陽性に転化させて食べるといい。

●牛乳（白、水っぽい＝冷やす）→熱を加える→チーズ（黄、硬い＝温める）

●ダイコン（白、水っぽい＝冷やす）→塩や圧力（重石《おもし》）を加える→タクアン（黄、硬い＝温める）

●緑茶（南方産、緑＝冷やす）→熱を加える、発酵させる→紅茶（赤、黒＝温める）……

これによって、寒冷地のヨーロッパでお茶が飲めるようになった

キュウリやスイカに塩をふって食べるとおいしくなるのも、トマトジュースに塩が加えてあるのも、この理論から考えれば、よく理解できるだろう。

先にも述べたが、いま、日本人の体温がどんどん低くなっており、低体温からくる「硬くなる病気」（ガン、血栓＝脳梗塞や心筋梗塞、膠原病）や、「水の病気」（アレルギー＝喘息、湿疹、鼻炎など）、「燃えない病気」（糖尿病、脂肪肝、高脂血症）などが蔓延《まんえん》している要因として、くり返しになるが、以下の4点を食生活の面から指摘することができる。

（1）塩分（＝温める）を悪者にし、極端な減塩志向が強まったこと

（2）コーヒー、カレー、バナナ、パイナップル、レモンなど、南方産の食べ物（＝冷やす）を暑い夏の時期以外にも口にしていること

（3）血栓予防と称して、やたらに水分（＝冷やす）をとっていること。また、清涼飲料水の自動販売機がいたるところに設置され、無造作に水分を多くとり過ぎること

（4）あまりに化学薬品（＝冷やす）を服用し過ぎていること

また、家電製品（洗濯機、掃除機）の普及や交通機関の発達で慢性的な運動不足になったことも、体の冷えに拍車をかける要因であることもつけ加えておく。

誰にでも効くベストな食材――「生姜」のとり方

漢方薬には2000年以上の歴史がある。その漢方薬の中で、われわれが日頃、処方している医療用の漢方百数十種類のうち、なんと70～80％に生姜が含まれている。風邪薬で有名な葛根湯、胃の薬の安中散《あんちゅうさん》、肝臓の薬の小柴胡湯《しょうさいこ》、腸の薬の桂枝《けいし》加芍薬湯《かしゃくやく》などである。「生姜なしには漢方は成り立たない」といわれるゆえんだ。なぜなら、生姜には「気、血、水」の流れを正常にし、健康を増進する働きがあるからである。

漢方医学では、この「気、血、水」の流れが悪くなると疾病が起こるとされているのだ。

「血の汚れの滞り《とどこお》」は「瘀血《おけつ》」といい、48ページで説明した。

「水の汚れの滞り」は水滞《すいたい》（または水毒）といわれ、これも42ページで述べた。

ここでは、「気、血、水」のもうひとつである「気の流れ」について触れておこう。

「気」がつく言葉は、やたら多い。

「空気」「電気」「元気」「やる気」「気分」「気力」……。「気」は「目に見えないが働きのあるもの」として、漢方医学では生まれながらにして親から受け継いだ「先天の気」と、生後、自分自身の生命活動の中から作り出した「後天の気」からなっていると考えている。また、「後天の気」には、肺の呼吸により体内にとり入れて作り出された「天の気」と、飲食物として胃腸に入って作り出された「地の気」がある。

この「先天の気」と「後天の気」が合わさったものが「元気」であり、体内のあらゆる臓器が働く原動力になる。いい換えれば、生命維持のための原動力なのである。

ストレスや体質に合わない飲食をする誤り、冷えや外傷、病原菌などにより、気の流れが邪魔された状態になると、「気の滞り」となる。これははじめは「何となくスッキリしない」「体が重い」「体のあっちこっちが張るように痛む」「胃が重い、張る」「胸がつかえる」「腹部膨満感《ぼうまんかん》」などと感じることが多く、だんだんひどくなると「のどがつまった感じ」が表れる。この「のどの異物感」は、うつ病、ノイローゼ、ヒステリーなどの時に初発症状として表れることが多い。

これを放置すると、こうした病気のほかにも不眠症や慢性疲労症候群などにもなりやすくなる。発ガンもこの「気の滞り」が関係していることが多く、また、ガンの闘病においても、「気の滞り」があると、その治療の妨げになることが精神腫瘍免疫学の分野で明らかにされつつある。

生姜はこの「気の流れ」もよくして、気の病（うつ、ノイローゼなどの精神疾患）にも奏効するのである。

漢方の原点というべき書物『傷寒論《しょうかんろん》』に、「（生姜は）体を温め（血流をよくし）、すべての臓器の働きを活発化させる。体内の余分な体液（水の滞り）をとり除き、気を開き（気の滞りをとる）……」と記されてあるし、中国の明の時代に書かれた『本草綱目《ほんぞうこうもく》』には、「（生姜は）百邪《ひゃくじゃ》（種々の病気）を防御する」とも書いてある。また、孔子も生姜を毎日食べていたといわれている。

生姜の原産地はインドであるが、すでに紀元前2世紀には、古代アラビア人によりインドから古代ギリシア、ローマに海路で伝えられた。「ピタゴラスの定理」で有名なピタゴラスも、生姜を消化剤や駆風剤《くふうざい》（お腹のガスをとる薬）として使用していたという。

その後、16世紀のイギリスでは、生姜1ポンド（約450g）と羊1頭が交換されていたほど、生姜は貴重品だったという。14世紀にロンドン市民の約3分の1がペスト（黒死病）で死んだ時、生姜を食べていた人は誰一人として死ななかったことがわかり、当時のヘンリー8世は、ロンドン市長に命じて英国民に生姜を食べることを奨励した。そのころに作られた人形の形をしたジンジャー・ブレッド（ginger bread＝生姜パン）をイギリス人はいまでも好んで食べている。

生姜（ginger）の薬効成分はジンゲロン（gingeron）、ジンゲロール（gingerol）、ショウガオール（shogaol）などの辛味の成分で、現代薬理学が最近明らかにした薬効は、実は2000年も前に漢方医学が明らかにしていた「気、血、水」の流れをよくする作用なのである。

●生姜は「気の流れ」をよくする

①エネルギー（つまり「気」）の流れをよくして体に活力を与える
②抑うつ気分をとる（気を開く）
③副腎髄質を刺激してアドレナリンを分泌させ、気力を高める

●生姜は「血の流れ」をよくする

①心臓を刺激し、血管を開き、血流をよくする
②体を温め、血流をよくする
③粘液（タンなど）の分泌をよくして、血液の汚れをとる
④肝機能の強化、白血球の機能の促進などを通して体内の毒素を分解・処理（解毒）する
⑤コレステロールの低下作用をする
⑥トロンボキサン、プロスタグランディンの生成量を減らし、血小板の凝集力を弱めて、血栓を予防・改善する

●生姜は「水の流れ」をよくする

①発汗を促して体液の流れをよくする
②尿の出をよくして水の滞りをとる

●生姜のその他の作用

①健胃作用・抗潰瘍作用

②鎮吐作用（生姜は乗り物酔い、吐き気を防ぐ唯一のハーブである）
③腸の蠕動《ぜんどう》運動をよくする
④血圧の安定化作用（高血圧は低く、低血圧は高く）
⑤鎮静作用、安眠効果
⑥魚のくさみをとる作用
⑦抗菌・抗原虫作用（チフス菌、コレラ菌、食中毒菌の殺菌のほかに、水虫菌や膣内のトリコモナスの殺菌もする）
⑧鎮痛作用（ジンゲロールは鎮痛剤で有名なインドメタシンより効果が大きい、という研究もある）

などの作用も知られている。

生姜は、生姜湯（97ページ）や生姜紅茶（96ページ）にして飲むと、飲んでいる間に体が温まり、元気が出てくることを実感できる。低体温で心身の病気に悩んでいる現代日本人にとって、生姜は最高かつ最強の妙薬であるといっても過言ではない。

このgingerを小さな英和辞典で引くと「生姜」としか出てこないが、大きな英和辞典

になると、

ginger（名詞）①生姜

②意気、元気、ぴりっとしたところ、気骨

（動詞）①〜に生姜で味をつける

②元気づける、活気づける、はげます、鼓舞《こぶ》する

(enliven, stimulate)

と出てくる。まさしく生姜の面目躍如ではないか。

言葉というものは、その国の生活、習慣、歴史が集約されて作られるものだから、gingerの効能が何百年にわたって証明された結果と考えていいだろう。

生姜は副作用の面に関しては、種々の文献を調べてもほとんど見当たらない。また、薬品としての「生姜」を調べても、副作用という研究報告はない。

アメリカのＦＤＡ（食品医薬品局）でも、生姜はＧＲＡＳ（一般的に見て安全なハーブである）として、警告ラベルをつけずに一般の食品店で販売されている。生姜には体に悪い作用はないと考えていいだろう。しかし、生姜湯や生姜紅茶を飲むと胃が焼けるような感じがするとか、胃が刺激されると訴える人がいる。そんな時は黒砂糖やハチミツで甘味

をつけると刺激はなくなる。それでも同じ症状があるなら、少なめに飲むか、生姜の量自体を少なくするといい。

ただし、

①体が熱く、いつもほてっている人
②皮膚や舌が異常に赤い人
③ひどく汗かきの人
④高熱（40℃以上）を出している人
⑤皮膚がひどく乾燥している人
⑥頻脈のある人
⑦脱水症状のある人
⑧血便のある人

このような症状がある人は、生姜をとるのは避けたほうがいいだろう。

おいしく簡単、即効の「温まる飲み物7種」（効き過ぎに注意）

この章の最後に、体を温める簡単手作りの飲み物を7種あげておこう。どれも「基本食」の合間にとることで、体を芯から温めてくれるものばかりだ。

ただし、中には効果が強力なものもあるので、飲み方の注意をよく読んで実行していただきたい。

①生姜紅茶

生姜紅茶とは、熱い紅茶に、すり下ろした生姜を適量入れ、黒砂糖（またはハチミツ）で甘味をつけたものだ。先の「基本食」の朝食、ニンジン・リンゴジュースが苦手な人が代わりにとるものとしてあげたものである。

生姜紅茶は、紅茶のカフェインによる利尿作用と、赤い色素のテアフラビンによる体を温める作用が強力であるうえに、生姜のジンゲロンやジンゲロールによる発汗・利尿作用が加わり、さらに黒砂糖により滋養強壮作用が促される。まさに「冷え」と「水毒」からくるさまざまな病気に即効する格好の超健康飲料となる。

冷え性、むくみ、便秘や下痢、こりや痛み、高血圧、狭心症、抑うつ気分、水太りなどに奏効する。

毎日3～6杯飲む習慣をつけると、さまざまな心身の不調から解放されるはずである。

②生姜湯《しょうがとう》

生姜湯は湯飲み茶碗の湯の中に、すり下ろした生姜を入れて飲むものだ。

冷え性、こりや痛み、生理痛・生理不順、食欲不振、腹痛、風邪のひき始め、胃腸病などによく効く。1日1～3回服用するといい。

《用意するもの》
ひね生姜10g、黒砂糖、ハチミツ、プルーンなど

《作り方》
（1）親指大の生姜をすり下ろし、紅茶こしに入れる
（2）上から熱湯をかけて、湯飲み茶碗いっぱいにする

（3）黒砂糖、ハチミツ、プルーンなどを入れて飲む

これに滋養強壮作用がより高まる葛《くず》の粉を少し加えると、保温、発汗、健胃作用がさらに顕著になる。

③しょう油番茶

しょう油小さじ1～2杯を湯飲み茶碗に入れ、熱い番茶を注いで飲む。これだけで、疲れ、貧血、冷え性に効く。

④梅醤番茶《ばいしょうばんちゃ》

生姜湯（②）よりさらに保温効果が強く、下痢、便秘、腰痛、腹鳴（お腹がゴロゴロ鳴る）、吐き気などの胃腸病に即効するのが梅醤番茶だ。このほかにも、冷え性、疲れ、貧血、風邪、気管支炎、痛みの病気や婦人病にも絶大な効果を発揮する。

1日1～2回の飲用でいい（幼児や子どもに与える場合は4～5倍に薄める）。

《用意するもの》

梅干し1個、しょう油大さじ1杯、生姜のすり下ろし汁少量、番茶

体を温める特効の「生姜湯」「生姜紅茶」の作り方

生姜湯
1.生姜をすり下ろす
2.上から熱湯をかける
3.黒砂糖かハチミツ、プルーンを加えて飲む
生姜紅茶
1.熱い紅茶を用意する
2.カップに注ぎ、生姜をすり下ろして入れる
3.黒砂糖かハチミツを加えて飲む

《作り方》
（1）種子をとり去った梅干し1個を湯飲み茶碗に入れて、果肉を箸《はし》でよくつぶす
（2）（1）の中にしょう油を加えて、よく練り合わせる
（3）生姜をすり下ろして、ふきんで搾《しぼ》ったものを3～4滴（2）の中に落とす
（4）熱い番茶を注いで湯飲み茶碗いっぱいにし、よくかき混ぜて飲む

⑤レンコン湯

レンコン湯はセキやのどの痛みをともなう扁桃炎や気管支炎に対して効果的だ。1日2回服用するといい。

《用意するもの》
レンコン約40g、生姜のすり下ろし汁少量、塩またはしょう油少々

《作り方》
（1）レンコンをよく水洗いして皮をむかずにすり下ろし、ふきんで搾って約20ccを湯飲み茶碗に入れる
（2）生姜をすり下ろし、ふきんで搾って5～10滴（1）に加える

（3）塩またはしょう油で薄く味つけをする
（4）熱湯を注いで、少し冷めたら飲む

⑥ダイコン湯

すり下ろしたダイコンと生姜をたっぷりと飲むのがダイコン湯だ。発熱性の風邪や気管支炎の時、それに魚や肉などの動物性タンパク質を食べ過ぎて便秘や下痢、腹満がある時に用いるといい。

《用意するもの》
ダイコン2～3センチ、生姜のすり下ろし汁少量、しょう油少々、番茶

《作り方》
（1）大さじ3杯のすり下ろしダイコンをどんぶりに入れる
（2）すり下ろし生姜を小さじ1杯（1）に加える
（3）しょう油を好みで大さじ1／2～1杯加える
（4）熱い番茶を注いでどんぶり1杯にして飲む

⑦卵醤《らんしょう》

卵醤は心不全や心臓機能の低下（頻脈、むくみ）に用いられる、いうなれば「強心剤」である。

強壮作用が強いので、飲むのは2日に1回にすること。

《用意するもの》

卵1個、しょう油少量

《作り方》

（1）茶碗に卵（できれば有精卵）の黄身だけを白身から分離して入れる

（2）黄身の1／4～1／2量のしょう油を加えて、かき混ぜて飲む

4章

自分のため、家族のため、これが朝昼晩の「ほかほか生活」

――手間もお金も一切かからない毎日の習慣

手浴、足浴をする
簡単その場運動
ウォーキング
生姜湿布
服装のちょっとした工夫

体を徹底的に温める9つの日常習慣

シャワーだけでなく
湯舟につかる
約30分の半身浴
塩入浴、生姜入浴
などの薬湯
サウナに入る

7つの効果を実感! この「入浴法」

いままであげた食べ物、飲み物を上手にとって体を温めることが非常に大事であることはおわかりいただけただろう。加えて、せっかく温めた体を冷やさず、より温める生活習慣を身につければ鬼に金棒だ。

ちょっとした暮らし方の工夫で、体は温まりもするし、冷えもする。この章では、そんな工夫の方法を具体的にあげておこう。どれも簡単なやり方ばかりである。

日常生活で一番簡単に体を温める方法といえば、やはり入浴であろう。

ちゃんと湯舟につかる入浴をすると、シャワーですませる人に比べて健康面で雲泥の差が生じるものだ。なぜなら、くり返しになるが、現代日本人の病気は「低体温症候群」といっていいからである。

入浴には、以下にあげるような7つの効果がある。

①「温熱」の血行効果

まず第一に、温熱による血管拡張作用で血行が促進される。それによって内臓や筋肉への酸素供給や栄養補給が増し、腎臓や肺からの老廃物の排泄作用も促される。その結果、**血液が浄化されて疲労を回復し、病気予防につながる。**

それでは、何度ぐらいの湯が最も効果的だろうか。38～41℃の風呂はぬるいと感じ、42℃以上になると熱いと感じる。熱い湯は、「活動の神経」といわれる交感神経を刺激するし、ぬるめのお湯は「リラックスの神経」とされる副交感神経を刺激するので、自分の体調や症状によって入り方を使い分けるといいだろう。

	熱い湯（42℃以上）	**ぬるい湯（38～41℃）**
自律神経	交感神経が働く	副交感神経が働く
心拍（脈拍）	活発になる	ゆるやかになる
血圧	急に上昇する	不変か、ゆっくりと低下する
胃腸の働き	低下する（胃液の分泌が低下）	活発になる（胃液の分泌促進）
気持ち	緊張する	ゆったりする

入浴時間	10分以内	20～30分
適応症	胃潰瘍、胃酸過多 寝起きの悪い人の朝風呂に 食欲の抑制に	高血圧、バセドウ病、不眠症 ストレスの多い人 胃腸虚弱、食欲不振の人

②「静水圧」の引き締め効果

日本式に肩までつかる風呂の場合、湯の水圧（静水圧）は500kgにもなり、胸囲が2～3cm、腹囲が3～5cmも縮むほどである。

この静水圧は皮下の血管やリンパ管を圧迫して血行をよくし、全身の代謝を活発にする。特に下半身に位置する腎臓の血流もよくなるので、排尿量が増えて「水毒」の状態を改善し、**「むくみ」や「冷え」をとってくれる。**

③「皮膚の清浄」の美容効果

入浴して体温が上昇してくると、皮脂腺から皮脂が毛穴を通って分泌される。これが皮膚表面の汚れやばい菌を洗い流してくれると同時に、汗腺からの汗と混じって皮脂膜を作り、肌に潤いを与えてくれる。いわゆる、**しっとりとした肌を作る**効果がある。

④「浮力」の体重軽減効果

風呂につかると、アルキメデスの原理により、体重は通常時の10分の1以下と同じことになる。

これにより、足腰の筋肉をはじめ、体の関節や筋肉が常日頃の重圧から解放されるので、心身のストレスの解消になる。また、腰痛、ヒザ痛など、痛みのある人の動作が容易になり、温熱による血行促進とあいまって、**痛みや麻痺《まひ》の治療につながる**。

⑤「リラックスのホルモン」によるストレス解消効果

ぬるめの風呂に入ると、アセチルコリン（ホルモン）が分泌され、リラックスした時に出るα《アルファ》波という脳波も出てくるために、**心身ともにゆったりとしてくる**。文明生活のストレスからくるさまざまな心身の病気に奏効する。

⑥白血球による「免疫能」の促進効果

好中球、リンパ球、単球、好酸球、好塩基球など、**白血球の働きが入浴による温熱効果やリラックス効果、血流促進効果によって高められ、**免疫能が促進され、あらゆる病気の予防や改善に役立つ。

ただし、入浴すると疲れがひどくなるというくらい体力が低下している人や、病気の人には、逆効果になることもあるので要注意。

入浴の効果は、すべて「気分がいい」と感じる時に表れるといっていい。

⑦血液をサラサラにする「線溶能」の促進効果

入浴の温熱効果により、血栓（脳梗塞、心筋梗塞）を溶かすために備わっているプラスミンという酵素が増え、線溶能（線維素を溶解する能力）が高まる。

つまり、風呂も上手に入れば、**脳梗塞や心筋梗塞にかかりにくくなる**効果がある、ということになる。

驚くほどの発汗、保温！「半身浴」のうまい方法

半身浴とは、湯舟の中に小さいイスか洗面器を逆《さか》さまにして置き、そこに腰かけて、みぞおちより下の部分だけを湯につけて入浴するやり方である。

この半身浴だと、肩までつかる全身浴に比べて肺や心臓への負担が軽くなるので、呼吸器疾患や心臓・循環器疾患がある人には特におすすめである。

さらに、半身浴は**下半身を集中的に温めて腎臓を含めた腰から下の血流をよくする。**その結果、排尿を増し、水毒をとって体全体を温めるほか、下肢、腰の痛みや下肢のむくみに著効を示す。

また、30分以上の半身浴をすると、入浴中や入浴後にも驚くほどの発汗があり、水毒が改善され、全身が温まる。

半身浴を行なう時、冬場は寒いので風呂場を暖めて、軽く全身浴をした後にやるか、乾いたバスタオルを肩にかけるようにするといいだろう。

「サウナ浴」医者がすすめる入り方

サウナで存分に発汗すると、心身ともにスカッとするものだ。

日常生活ではあり得ないほどの発汗をするだけであれだけの爽快感があるのだから、体内に水分がたまった状態＝水滞（水毒）がいかに心身の不調をもたらすかが想像できるというもの。

サウナ浴はサウナ室内が90～１１０℃と高温のため、温熱刺激による血管拡張によって血液の循環がよくなる。そのため内臓や筋肉への栄養補給がスムーズにいき、腎臓への血流もよくなって排尿も増し、老廃物が排泄されて血液が浄化されるという効能がある。

また、汗腺や皮脂腺からの汗や皮脂の分泌が盛んになるため、皮膚が浄化され、美肌の効果もある。さらに、甲状腺の働きがよくなるため、体全体の新陳代謝が活発になる。

よって、冷えと水毒からくる筋肉痛や筋肉疲労、関節痛、自律神経失調症、アレルギー疾患、婦人病や胃腸病、初期の風邪にサウナ浴が奏効するわけだ。また、冷えも原因のひとつとなっているガンの予防にもなるはずである。

ただし、サウナ浴をしている間は酸素の消費量も増加し、心拍量も50～100％増加する。そのため、心臓や循環器系に負担をかけるので、高血圧や心臓病の人は特に慎重に、最初は短い時間から始める必要がある。

サウナ浴と水風呂や冷水シャワーを交互に行なうと、体表の血管が拡張と収縮をくり返して血液循環を助けることになり、心臓の負担を軽くするという一面もある。5～10分のサウナ浴と30秒～1分の冷水浴を2～4回くり返すというのが一般のサウナの入り方であるが、心臓や循環器系に持病がある人は、サウナ浴を2～3分、冷水浴は全身でつからずに、ヘソより下に冷水をかける方法がいいだろう。

塩入浴、生姜入浴……
簡単で気持ちいい「自家製の薬湯」

「薬」という字は「草かんむりに楽」と書く。「薬湯」も広義に解釈すると、「何かの植物を湯に入れて、心身ともに気分がよくなる入浴法」くらいに解釈して大いに活用したい。

薬湯は、植物の「血液」ともいうべき精油の香りの成分が、鼻粘膜から血液に吸収されて脳に伝わり、神経のリラックス効果や内分泌（ホルモン）系、免疫系を刺激し心身の健康を増進させる。また、湯に溶け出した精油成分やさまざまなビタミン、ミネラルが肌表面を薄くコーティングし、美肌作りや入浴後の保温効果を発揮する。**湯がぬるいと植物の成分が十分に溶出しないので、40℃くらいの湯温で10～15分入浴する**のが最もいい。

薬湯に使う植物	**用い方**	**効能**
自然塩（塩風呂）	ひとつかみの粗塩《あらじお》を湯舟に入れる	体が温まり、冷え性の改善。水太り、風邪の予防に。入

		浴後はシャワーで洗い流す
生姜（生姜風呂）	生姜1個をすり下ろして、直接または布袋に入れて湯舟につける	冷え性、神経痛、腰痛、リウマチ、風邪の予防、不眠症
イチジク	生の葉または乾燥させた葉を3～5枚刻んで入れる	神経痛、リウマチ、痔、便秘
菊	数枚の葉を布袋に入れて湯舟につける	葉緑素の殺菌作用がすり傷の治癒を早める
桜	生または乾燥させた葉数枚を湯舟に入れる	湿疹、あせも
ショウブ	ショウブの全体（根、茎、葉）を洗って、生のまま湯舟につける	食欲増進、疲労回復、冷え性、皮膚病
ダイコン	天日で約1週間乾燥させた葉5～6枚を煮出し、その	冷え性、神経痛、婦人病（生理痛、おりもの）

	汁を湯に加える	
バラ	花を数個、湯舟に入れる	ストレス、二日酔い
ビワ	生または乾燥させた葉5～6枚を湯舟に入れる	湿疹、かぶれ、あせも
ミカン	3～4個分のミカンの果皮を天日干しし、乾燥したものを湯舟に入れる	冷え性、風邪の初期、ストレス、セキ
モモ	細かく刻んだ葉を布袋に入れて湯舟につける	湿疹、皮膚病、アトピー
ユズ	1個を2つに切って湯舟につける	神経痛、リウマチ、ヒビ、アカギレ
ヨモギ	生または乾燥させた葉を数枚から10枚湯舟に入れる	冷え性、痔、月経過多、子宮筋腫
レモン	1個を輪切りにし、湯舟に入れる	美肌作り、ストレス、不眠

全身をポカポカにする「手浴、足浴」の方法

●**手浴**

洗面器に42℃くらいの湯を張り、手首から先を10～15分、その湯の中につける。湯がぬるくなったら熱い湯を加える。

おもに**ヒジや肩に滞った血や気の流れをよくし、肩こり、ヒジの痛みに奏効する**が、手浴（10～15分）を2～3回くり返したり、手浴後に冷たい水に手を1～2分入れて手浴の温冷浴を2～3回やると体全体が温まり、心身ともに気分がよくなる。

特に冷えのために不眠になっている人は、就寝前に手浴と、次の足浴をやるといい。

●**足浴**

手浴と同様、42℃くらいの湯を洗面器かバケツに張り、両足首より下をその湯の中につけて10～15分過ごす。湯が冷めないように、時々、熱い湯をつぎ足すといい。

この足浴により、第2の心臓である足の裏を温めて刺激するので下半身の血流がよくなり、その結果、全身の血行がよくなって体がポカポカと温まり、発汗してくる。

特に**腰痛やヒザの痛みに奏効するだけでなく、腎臓の血流がよくなることで排尿がグッと促進されるので、むくみや水太りの解消にもなる。**

手浴をする場合も足浴の時も、塩をひとつかみ、または1個分のすり下ろし生姜を湯の中に入れると効果が倍増する。

筋肉から体熱をつくる「ウォーキング」の目安

肥満を筆頭に、糖尿病・脂肪肝・痛風などの代謝異常（病）、高血圧や虚血性心臓病（狭心症や心筋梗塞）、脳卒中などの心臓・循環器疾患、腰痛、ヒザ痛、肩こり、五十肩などの痛みの病気、自律神経やノイローゼなどの心因性の病気は、ある面、「運動不足病」だといえる。

なぜなら、人間の体温の40％以上は筋肉から発生するので、運動不足になると体温が十分に作れない。こうなると、脂肪や糖などの体内の栄養物や、尿酸をはじめとするさまざまな老廃物が燃焼されずに残るので、血液を汚し、万病の下地を作ることにもなる。

日頃、テニスや水泳、ハイキングなどのスポーツをしている人は、それを終生続けることが「運動不足病」をはじめとする種々の病気の予防になる。ふだんスポーツをしていない人は、いつでもどこでも、誰でも簡単にはじめられる次のウォーキング法をおすすめしたい。

ある調査によると、1日の平均歩数は、

・無職の高齢者　約　2500歩
・タクシー運転手　約　3000歩
・会社の社長　約　4000歩
・主婦　約　4500歩
・小・中学校の先生　約　6000歩
・サラリーマン、OL　約　3500歩（マイカー通勤の場合）
　約　8000歩（電車・バスなどでの通勤の場合）
・セールスマン　約　13000歩

であったという。1日に1万歩以上歩くと、動脈硬化を予防するHDLコレステロールが増加することは知られているが、年齢により目標とする歩数や歩く速度も少し違ってくるので、次の表を一応の目安にしていただきたい。

年齢	分速（1分間に歩く距離）	1日の最低歩数
70歳代	60メートル	6000歩
60歳代	70メートル	7000歩
50歳代	75メートル	8000歩
40歳代	80メートル	9000歩
30歳代	85メートル	10000歩

この「ウォーキング法」をすることによって、以下の8つの効果を得ることができる。

①血圧を下げる、脳卒中を予防する

下半身の筋肉が発達することにより毛細血管も新生され、下半身に血液がプールされる。このため血圧が下がり、脳血管への負担が解消する

②心臓病の予防・改善

歩くことで第2の心臓と呼ばれる足の裏を刺激することになり、心臓の働きを助ける

③ボケ予防

歩くと下肢の筋肉（ふくらはぎ）、臀筋《でんきん》（お尻の筋肉）、背筋が鍛えられることになり、その結果、脳への覚醒刺激が増す

④骨粗鬆症《こつそしょうしょう》の予防・改善

歩くことで自分の体重で骨と筋肉が刺激され、骨へのカルシウムの沈着が促される

⑤腰痛・ヒザの痛みの予防・改善

下肢・腰の筋肉が鍛えられることにより、腰の骨やヒザへの負担が軽くなる

⑥糖尿病、高脂血症、脂肪肝、肥満の予防・改善

人間の筋肉の70％以上を占める下半身を動かすことにより、筋肉が糖や脂肪を存分に消費してくれる

⑦ストレス解消

歩くと脳からはα《アルファ》波（リラックスした時に出現する脳波）が出るうえ、快感ホルモンのβ《ベータ》-エンドルフィンも分泌されるので、自律神経失調症やノイローゼ、うつ病などの予防・改善になる

⑧肺の機能強化

歩くことで呼吸が深くなり、肺の病気（風邪、気管支炎、肺気腫など）の予防になる

簡単その場運動──「スクワット」「レッグ・レイズ」

歩く時間や場所がない人、または雨のために外を歩けなかった日などは、部屋の中で簡単な「スクワット運動」や「レッグ・レイズ運動」をすると、不足した運動量を補えて、ウォーキングの代わりにもなって効果的だ。

●スクワット運動

スクワット（squat）とは「しゃがみ込む」という意味だ。やり方は、まず肩幅よりやや広く両下肢を開いて立ち、両手を組んで頭の後ろに回す。そして、背筋を伸ばして息を吸いながらしゃがみ込み、吐きながら立ち上がる。

これを5～10回、ゆっくりとやり（1セット）、しばらく（数秒～数十秒）休んで、また同じ動作をくり返し、全部で5セットくらいやるといい。この時、胸をなるべく前に押し出すように、また、お尻をなるべく後ろに突き出すようにするのがコツだ。

だんだん筋力がついてきて物足りなくなってきたら、1セット内の回数を10〜20回に増やしたり、セット数を10セットに増やすなどして負荷を上げていくといい。また、軽いダンベルを両腕に持って行なってもいい。このスクワット運動は、**全筋肉の70％以上が存在する下肢・腰の筋肉強化にうってつけの運動**である。また、第2の心臓といわれる足の裏の刺激にもなり、体熱の上昇、血行の促進がなされ、健康増進に大いに役立つ。

●レッグ・レイズ運動

レッグ・レイズ（Leg Raise）というと何やら難しそうだが、足を少し開いて直立し、その場でかかとを上げたり下げたりするだけの運動である。テレビを見ながらでも、電車やバスの待ち時間でも簡単にできる。

1セットを5〜10回、セット数は5〜10セットからはじめて徐々に増やしていくといい。上げ下げのスピードは最初はゆっくりからはじめ、徐々に自分のペースに合わせてスピードアップしていけばいいだろう。このレッグ・レイズ運動によって、**ふくらはぎの筋肉を中心に下肢全体の筋肉が鍛えられ、体熱上昇、血行促進に役立つ**。先ほどのスクワット運動と交互にやるとより効果的である。

効果抜群の「簡単その場運動」のやり方

スクワット運動

（5～10回を5セット）

1.両腕を後頭部に回し　2.息を吸いながらしゃがみ　3.息を吐きながら立ち上がる

レッグ・レイズ運動

（5～10回を5セット）

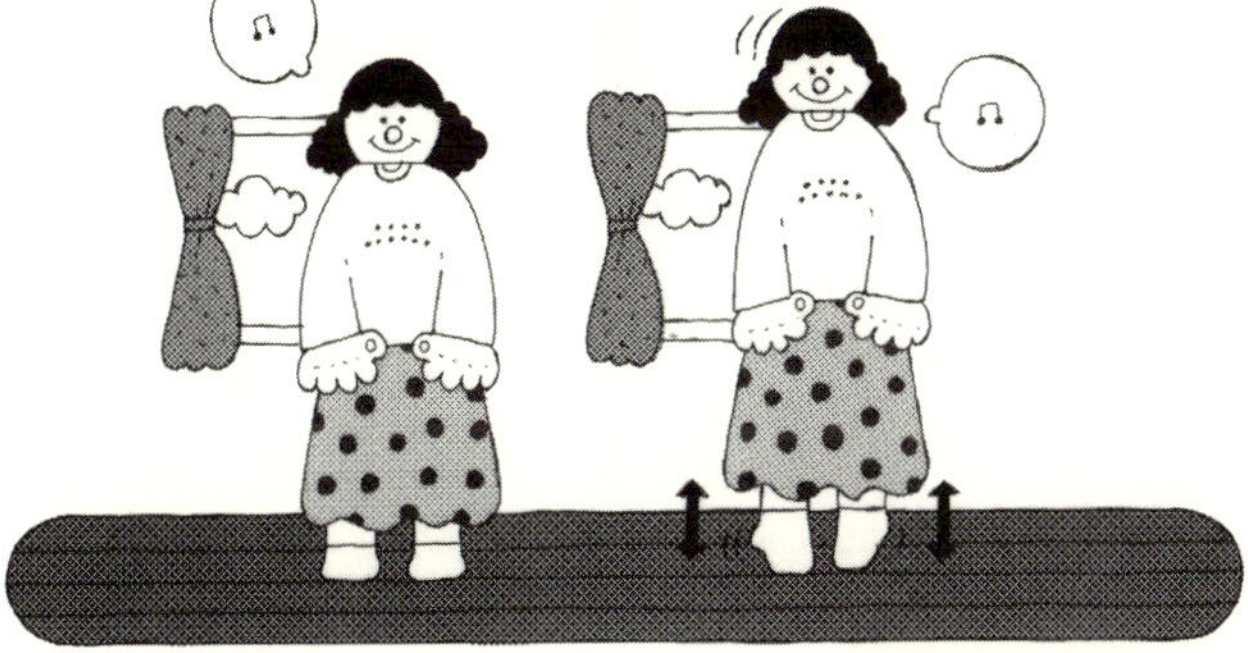

1.足を少し開いて直立　2.その場でかかとを上げ下げ

安心、手作りの「生姜湿布」を10分間

生姜湿布は、生姜を使った簡単な手作りの温湿布である。
これは温湿布の温熱効果と生姜にあるジンゲロン、ジンゲロール、ショウガオールなどの血行促進効果や鎮痛効果により、こり、関節痛や筋肉痛、婦人病、膀胱《ぼうこう》炎、胃腸病（便秘や下痢）、気管支炎や喘息によるセキ、アトピー性皮膚炎などの皮膚病など、あらゆる病気の苦痛や症状の軽減に奏効する。家庭で簡単にやれるので、ぜひ試していただきたい。

《用意するもの》
ひね生姜約150g、水2ℓ、木綿の袋、厚めのタオル2枚
《やり方》
①生姜約150gをすり下ろす。生姜は新しいものでなく、ひね生姜がいい
②すり下ろした生姜を木綿の袋に入れて上部をひもで縛る。木綿のハンカチなどにくるん

で輪ゴムで止めてもいい
③水2ℓを入れた鍋に②を入れて火にかけ、沸騰寸前で止める
④③が冷めないように、とろ火で温め続ける
⑤70℃くらいの③の中にタオルを浸して（湯が熱いので注意）、あまり硬くならないように絞り、このタオルを患部に当てる
⑥そのままだとすぐ冷えてしまうので、このタオルの上にビニールをかぶせておき、その上に乾いたタオルをのせる
⑦10分くらいしたら、またタオルを③につけて絞り、再び患部に当てる
⑧これを2～3回くり返す
⑨痛みや症状がひどい時は1日2～3回やる。軽い時は1日1回でいい
⑩生姜を入れた湯は温め直して2～3回使える。

この生姜湿布は、患部はもちろん、両足の裏にも行なうと、これまで経験したことがない多量の発汗をし、心身ともにスッキリ爽快になる。ただし、皮膚にしみて不快感がある人はやらないこと。また、湿布をする前後1時間の入浴はヒリヒリするので注意が必要だ。

腹巻き、下着……ちょっとした服装の工夫

これまでの話でおわかりのように、現代人は、本人が気づいているいないにかかわらず、低体温＝冷え性の人が大部分だ。したがって、食生活や運動（労働）、入浴以外にも、日頃の服装や就寝時での体を温めるちょっとした工夫が必要になっている。簡単なことだが、案外やっていない人が多いことに絞り込んで、いくつか方法を書き出しておこう。どれも効果があるものばかりである。

①「服装」で〝頭寒足熱〟をつくる

「腹巻き」というと、昔は白いサラシをぐるぐる巻きにしていて、面倒くさかったり、あまり格好のよくないものというイメージが強かった。ところが最近は、薄くて保温性が高く、格好のいいものがたくさん売り出されている。これらを大いに活用するといい。

なぜなら、前にも述べたが、漢方では「お腹」を「お中」という。これは文字通り、お

腹こそ体の中心とし、ここを温めることで全身が温まって代謝がよくなり、その結果、体調もよくなって病気の治癒を促してくれると考えるからだ。特に冷え性の人は、腹巻きをした上に、腹や腰の部分に使い捨てカイロをヤケドに注意して貼るとさらにいい。

また、冬の外出時には、マフラーやマスクの着用も効果的だ。マフラー一枚、マスク一つでそれぞれ衣服一枚分の保温効果があることが「衣服気候学」で説明されている。

ベストやチャンチャンコ、ショールなども大いに活用するといい。こうした衣服が体を覆《おお》う部分、つまり、肩、首の後ろ、脇、心臓や腎臓（腰の下部）の周囲には発熱を促す褐《かっ》色《しょく》脂肪細胞が多いので、ベストなどを着ると効率よく体が温まるわけだ。

もう一歩進めて、服装の工夫で「頭《ず》寒《かん》足《そく》熱《ねつ》」の健康状態を作ることもできる。それは重点的に下半身を温める方法だ。男性ならズボン下、女性ならスパッツなどの着用、また、靴下を二枚重ねにするのも冷えから身を守る知恵になる。特に冷えやすい人は、ふくらはぎや足底に当たるよう、ズボンや靴下の上から使い捨てカイロを貼るとその効果が倍増する。

②体を温める「下着」の工夫

冬の防寒もさることながら、夏の冷房による「冷房病」も、特に女性にとっては深刻な問題である。

対策として、下着を重ね着したり、軽いカーディガンを羽織ったりという方法は、すでに実行されているだろう。加えて、ぜひ忘れないでいただきたいのは、ハイヒールやあまりにタイトな（体を締めつける）下着の着用は避けるということだ。これらは血流を悪くするため、冷えをますます増長してしまう恐れがある。

そして、夏こそ入浴をシャワーですませず、湯舟にゆっくりつかって、昼間の冷房で奪われた熱を取り戻す必要がある。

③寝ている時にも体を温める工夫を

冷え性の人にとって、冷たい布団《ふとん》はつらい。そのため、電気毛布を使用している人も多い。確かに「冷え」から身を守る方法としてはいいが、あまりにこれに頼りすぎると、自分自身で発熱する力が弱ってしまう恐れがある。その点、一番いいのは、湯たんぽを使うことである。

5章

〈症状・病気別の温め方〉早い人なら1週間で効果が出る！

——気になる健診数値対策から、がんこな慢性症状まで、あなたの場合

実効！ この31の症状、病気への具体策

これからあげる発熱、痛み、セキやタン、胸やけ、吐き気、便秘などの諸症状や疾病《しっぺい》も、先にあげた「基本食」の実行、入浴法やウォーキング法などの「体を温める生活習慣」を行なうことで、その予防や改善に有効である。

ただし、それでも以下にあげる症状が出てきた場合、それぞれに対していくつか列挙した方法のうち、自分自身で簡単にできることからひとつでもふたつでも実行することで、より実効をあげることができる。

①　発熱

発熱とは、２章でも述べたように、「血液の汚れ」を燃焼している状態である。したがって、化学薬品のいわゆる解熱剤でむやみに下げると、一時的には気分がよくなったとしても、再発したり、かえって病気が長引いたりすることが多い。

しかし、そんな発熱時に漢方の葛根湯を服用すると、発汗した後に熱が下がってくる。これは体内の老廃物を汗で出したために、発熱する理由がなくなるからである。よって、以下の**発汗させて解熱を図る方法のうち、やりやすい方法をひとつでもやる**とよい。

①**生姜紅茶**（96ページ）、**生姜湯**（97ページ）、**梅醤番茶**（98ページ）、**ダイコン湯**（101ページ）を１日に２～３回服用する
②**ネギ**の白い部分（２本分）を細かく切って生のままどんぶりに入れ、適量の味噌を加え

て熱湯を入れて飲む

③熱い味噌汁にネギをたくさん入れて飲み、すぐ就寝する

④生ジュースとして、

ニンジン2本（約400g）↓240cc
リンゴ2／3個（約200g）↓160cc
キュウリ1本（約100g）↓80cc
レモン1／2〜1個（約50g）↓30cc
＝計510cc（コップ3杯）

を1日に1〜3回に分けて飲用する

これはニンジンの体を温める作用、リンゴ酸の消炎効果、キュウリの利尿作用が相乗的に働いて血液の汚れを浄化する。また、レモンのビタミンCは白血球の貪食力を促進するので、老廃物の貪食・殺菌作用が高まる効果もある。

②痛み（頭痛、腰痛、腹痛、生理痛）

41ページで述べたように、大半の「痛み」は「冷え」と「水」が原因で起こる。だから寒い冬や雨の日、または冷房の中では痛みが増悪《ぞうあく》するし、入浴すると痛みが軽減されるわけだ。

したがって、**「痛み」に対しては、とにかく体を温め、利尿や発汗を促して余分な水分を排泄すること**が重要である。

西洋医学で使われる一般の鎮痛剤は、ほとんどが解熱作用（体を冷やす作用）も併せ持っている（鎮痛解熱剤）ため、当座の痛みは止めても、また次の痛みの原因になることも往々にしてあるので、連用する時は注意を要する。その点、漢方の頭痛薬である葛根湯は体を温めて発汗させるし、苓桂朮甘《りょうけいじゅつかん》湯は利尿を促す薬なので、根本療法の薬といえる。

また、リウマチの漢方薬である桂枝《けいし》加朮附《かじゅつぶ》湯も体を温め、利尿を促す薬である。

頭痛、腰痛、腹痛、神経痛などの痛みには、以下の方法を家庭で試すといいだろう。

①**「ネギ加生姜湯」**（生姜湯にネギを加えたもの）を1日2～3回飲む

《用意するもの》

ネギ（白い部分）、生姜のすり下ろし汁少量

《作り方》

〈1〉ネギ約10gを刻み、湯飲み茶碗に入れる

〈2〉生姜を下ろしてガーゼで搾り、①に約5cc（10滴）加える

〈3〉熱湯を茶碗に半分くらい注いで飲む

②**生姜紅茶**（96ページ）を1日3～4杯飲む

利尿作用と保温作用を持っているうえに、生姜のジンゲロール、ジンゲロンという辛味成分には鎮痛作用がある

③全身浴後に**半身浴**（111ページ）をして発汗する

あるいは生姜風呂（生姜1個をすり下ろして直接または布袋に入れ、湯舟につける）や塩風呂（ひとつかみの粗塩を湯舟に入れる）に入り、体を温めて発汗する

④患部に**生姜湿布**（126ページ）を当てる

●痛みの中でも**特に〈頭痛〉に効果的**なのは——

①生姜湯（97ページ）に葛粉《くず》3gを入れて飲む

②ネギを細かく刻み、味噌と半々くらいに混ぜてドンブリに入れて熱湯を注ぎ、飲んだらすぐ寝る

③42℃くらいのお湯を洗面器に張り、手首より先を3分間つけ、その後、両手を冷水に10秒つけるという手浴の温冷浴を5回くり返す

●痛みの中でも**特に〈腰痛〉に効果的**なのは——

腰の急性症状の時の痛みは温めると悪化するので、打撲や捻挫《ねんざ》をして2～3日は冷湿布のほうがいい。入浴もしてはいけない。

ただし、パソコンなどで座る姿勢が多い仕事の人や、長時間の運転からくる筋肉疲労性の腰痛や脊椎《せきつい》の変形からくる腰痛には、次にあげる温める方法がよく効く。

①38～40℃のぬるめの風呂に20分以上ゆっくりとつかる。半身浴（111ページ）ならなおい。寒い時期に半身浴をする時は、上半身にバスタオルをかけて、冷やさないようにすること
②腰に生姜湿布（126ページ）を当てる
③慢性の腰痛には、
（イ）毎日ヤマイモ（トロロ）を食べる
（ロ）生ジュースとして、飲みにくいが、
　ニンジン2本（約400g）→240cc
　タマネギ（約100g）→70cc
　　　　　　　　　　＝計310cc（コップ1・5杯）
を毎日飲む（胃がやける感じがするなら、タマネギを30～50gに減らすといい）
④日中でもカイロや温湿布などを患部に当てておく

●痛みの中でも**特に〈腹痛〉に効果的**なのは――
①しょう油番茶（98ページ）を飲む

②粗塩《あらじお》をフライパンで炒《い》って布袋に入れ、ヘソのところに置いて30分くらい温める
③熱い味噌汁にネギか生姜を刻んだものを入れて飲む
④生姜の粉、朝鮮ニンジンの粉末、サンショウを2対1対1の割合で湯飲み茶碗に入れ、熱湯で溶いて飲む

●痛みの中でも**特に〈生理痛〉に効果的**なのは――

①**「ニラ塩湯」**を1日2回飲む

《用意するもの》
ニラ少々、粗塩少々、ハチミツ少々

《作り方》
約20gのニラをミキサーにかけたものをふきんで搾って茶碗に入れる。これに熱湯を注ぎ、ハチミツを適量入れて、その湯を飲む
②フライパンで空炒りした粗塩を布袋に入れて、腹痛を感じるところに置いて温める

③ セキやタン

セキは肺にたまったタン（外から吸入されたホコリや細菌などと、血液内の老廃物が肺のほうに排泄されたもの）を出すための反応だ。よって、西洋医学の鎮咳剤（セキ止め）のように脳の咳嗽《がいそう》中枢を麻痺《まひ》させて無理にセキを止めると、タンが肺の中にたまり、肺炎を併発したり、気管支炎を長引かせる恐れがある。**セキはタンを出して自然に止めるのがベスト**。そのために、以下の4つのやり方を試していただくといいだろう。

①**「ネギの温湿布」**をのどに当てる

《作り方》

ネギの白い部分（約4～5㎝分）を火であぶり（ところどころが少し黒くなるくらい）、それをタテ割りに切ってのどに直接当てて湿布する。上からタオルを首に軽く巻くといい

②**レンコン湯**（100ページ）を１日２〜３回飲む

③**「ナシ加生姜湯」**を１日１〜３回飲む

《作り方》

鍋の中にナシ１個のすり下ろし汁と親指大の生姜のすりおろし汁を入れて、火で温めて飲む（ナシにはタンをとる作用と、のどの痛みをとる作用がある）

④**生ジュース**として、

ニンジン２本（約４００g）↓２４０cc

リンゴ２／３個（約２００g）↓１６０cc

パイナップル（約１００g）↓70cc

＝計４７０cc（コップ２・５杯）

を１日１〜３回に分けて飲む。パイナップルはタンをとる酵素（ブロメリン）を含む

④ 胸やけ

胸やけは、強酸性の胃液が食道に逆流してくるために起こる現象だ。肉、卵、白米、白砂糖などの欧米食や、精白食、ファストフード、添加物が多く入った食べ物などを食べ過ぎると起こりやすい。

胸やけの改善には、胃酸を中和するアルカリ性食品をとること。また、**胃を温め、その蠕動《ぜんどう》運動をよくして胃の中の食物を腸のほうへ早く送り出すこと**である。そのためには、次の５つの方法がいいだろう。

①約10 gの**コンブを網で焼き**、１日３回に分けて食べる

②**生姜湯**（97ページ）や**梅醤番茶**（98ページ）を１日２〜３回飲む

③**ゴマ塩**ひとつまみを湯飲み茶碗に入れ、熱い番茶を加えて飲む

④**生ジュース**として、

ニンジン１本（約２００ｇ）↓１２０cc

リンゴ２／３個（約２００ｇ）↓１６０cc

ダイコン（約１００ｇ）↓70cc

＝計３５０cc（コップ２杯）

を噛むようにしてゆっくり飲む

⑤42℃ぐらいの**熱い風呂**に短時間入る

皮膚の血管が急速に拡張して血液が体表に多くなり、胃粘膜への血行が悪くなるので、

胃液の分泌が抑えられる

⑤ 吐き気、二日酔い

吐き気や二日酔いは、胃の中に余分な水分（薄い胃液）が大量にたまると起こりやすい。ビールの93％、日本酒の86％は水分なのだから、アルコールの飲み過ぎによる吐き気や二日酔いは、42ページで示したように急性「水毒」症状なのである。

したがって、その対策としては、**胃を温め、蠕動《ぜんどう》をよくして、水分を消化管の下（小腸、大腸）のほうへ送り、水分の吸収をよくして、尿で捨てるようにすればよい。**

そのためには、以下の方法が効果的である。

①梅干し1個をコップ2杯強（約400ml）の水を入れた鍋で水が半量になるまで煎《せん》じて、この**梅干しの煎じ汁**を少しぬるくなってから飲む

②**シソの葉**4～5枚を刻んで、コップ2杯強の水を入れた鍋で水が半量になるまで煎じ、

この煎じた汁にすり下ろし生姜を適量入れて飲む

③**梅醬番茶**（98ページ）を熱くしてコップ１～２杯飲む

④**サウナ浴**（112ページ）や**半身浴**（111ページ）で大量の汗をかく。汗を出すことで水毒が改善し、体が温まるので各臓器での代謝がよくなる。その結果、水分やアルコールが消費され、吐き気や二日酔いがとれる

⑥ 便秘

便秘に対して、「水分をたくさんとりなさい」とか、「生野菜を十分に食べること」などと指導されることが多いが、これが逆療法になることもよくある。

便秘とは、大腸や直腸などの排泄を担当する腸が十分に活動していないから起こるものであり、人体のすべての臓器は熱で動いているのだから、大腸や直腸が冷えていると、その働きが悪く、便秘になりやすい。手のひらを腹部に当てて、ヘソの上よりもヘソの下が冷たい人は大腸や直腸が冷えている証拠だ。生野菜や水分の摂取は大腸・直腸を冷やして、かえって便秘をひどくすることがある。したがって、**大腸を温め、食物繊維も豊富に含み、しかも緩下《かんげ》成分を含む食べ物が便秘には有効**ということになる。以下、3つの食べ物など、便秘に特効の方法をあげておこう。

①**アロエの葉**5～6枚を水洗いし、トゲを包丁でとって薄切りにしたものを、コップ1～

2杯の水を入れた鍋で水が半量になるまで煎じる。この煎じ汁を大さじ1杯ずつ1日2～3回飲む。飲みにくいならハチミツを適量加えてもいい（ハチミツにも緩下作用がある）

②**ゆで小豆《あずき》**（小豆50gを６００ccの水に入れた鍋で、水が半量になり、軟らかくなるまで約30分煮詰める）を豆ごと食べる。小豆は食物繊維も多く含み、腸を温め便通をよくする

③**ご飯に黒ゴマ塩**（黒ゴマ8～9に対し、自然塩1～2をフライパンで空炒りしたもの）をたっぷりとかけて食べる

④**ウォーキング**を毎日、十分にやったり、あお向けでヒザを伸ばしたまま両足の上げ下ろし運動をして腹筋を鍛える。こうすると腸への血行もよくなり、便秘に効く

⑤**入浴中**に腹をへこませたり、ふくらませたりを10回やる。また、手のひらでお腹を時計方向（右回り）に10回マッサージする。湯舟の外で腹部に温水シャワーと冷水シャワーを交互に5～10回かける方法でもいい

⑦ 下痢

ふつう、慢性的に続く下痢は、胃腸（体）の冷えや体内の水分過剰（水毒）が原因である。つまり、余分な水分を排泄して体を温めようとする反応が「下痢」と考えていい。したがって、その対処法は胃腸を温めること、水分のとり過ぎを控え、尿を多く出したり、汗をたくさんかくことで**体内の余分な水分を排泄すること**である（肝臓や膵臓《すいぞう》の病気による下痢や発熱をともなう細菌性の腸炎の場合の下痢は、原因となっている病気の治療が先決である）。

①**梅醤番茶**（98ページ）や**ダイコン湯**（101ページ）を1日2〜3回飲む

②濃いめに入れた**緑茶**にハチミツを適量入れて1日2〜3回飲む（緑茶の成分タンニンに下痢を止める作用がある）

③**ニンジン、ジャガイモ、タマネギ**を長時間煮つめてスープにし、自然塩を適量入れてスープだけ飲む

④**ニンジンジュース**５００cc（コップ３杯）に粗塩３gを加えて、約２時間、弱火で煮沸《しゃふつ》する。それをウラごしにかけ、水を加えて１ℓにしたものを温めて、コップ１杯ずつくらい１日２〜３回飲む

⑤**生姜湿布**（126ページ）か、**コンニャク湿布**（コンニャク１〜２枚をお湯に入れて煮立てる。熱いままとり出してタオルにくるむ）をする。ヘソを中心に湿布するといい

⑧ 胃炎、胃潰瘍《かいよう》、十二指腸潰瘍

胃や十二指腸の病気は、冷え性（陰性体質）の人に特徴的な病気である。ストレスがかかっても、副腎髄質からアドレナリンが分泌されて血管が縮み、胃腸の粘膜の血行が悪くなって（冷えて）潰瘍になりやすくなる。そんな人は以下の方法を習慣化するといい。

①**梅醤番茶**（98ページ）の愛飲

②**黒豆**を黒砂糖で煮て毎日食べる

③**キャベツ**を積極的にとる。キャベツは抗潰瘍作用があるビタミンU（ただし、加熱すると破壊されてしまう）と、出血を止めるビタミンKを含む

〈1〉ジュースにして飲む

ニンジン2本（約400g）　↓240cc
リンゴ2／3個（約200g）　↓160cc
キャベツ（約100g）　↓70cc
＝計470cc（コップ2・5杯）

〈2〉生食する
キャベツをみじん切りにして、カツオブシとしょう油をかけて毎食食べる。これだけでも有効であるが、野菜の生食は体を冷やす心配があるので、次の方法もいい
〈3〉湯通しして食べる
約200gのキャベツをミキサーにかけた後、鍋に入れ、沸騰させないようにサッと温めたものをよく噛んで食べる

④**「シソの葉加生姜湯」**を毎回飲む
《作り方》
青ジソの葉2～3枚を火であぶり、パリパリになったところを手でもんで湯飲み茶碗に入れ、すり下ろし生姜を5～10滴加えた後、熱湯を湯飲み茶碗に半分くらい入れて飲む。

シソの葉と生姜は胃腸を温めるほか、気分をよくしてストレスをとる効果もある

⑤42℃ぐらいの**熱い風呂**に入浴すると胃液の分泌が少なくなるので、潰瘍の改善にはいい。ただし、就寝前はストレスをとるため38～40℃の入浴がベター

⑥単なる胃弱や胃アトニー（胃下垂）の人は、胃液の分泌を促して、胃の働きを活発にさせるために38～40℃ぐらいの**ぬるめの湯**にゆっくり入浴するほうがいい

⑨ むくみ

むくみにもさまざまな特徴があり、病気の存在をサインとして示している場合がある。心臓病の時のむくみは、「午後に下半身がむくむ」という特徴がある。また、腎臓病のむくみの場合は、まず、まぶたにむくみが表れる。肝臓病のむくみは腹水として表れる。これら特徴的なむくみの場合は、その原因の病気を治療することが先決である。ここでは一般的に、しばしばむくみが表れる人への効果的対策をあげておこう。

①**ゆで小豆**（147ページ）を毎日、豆ごと食べる

②**卵醤**（102ページ）を2日おきに飲む（心臓病のむくみにもいい）

③**リンゴ**を１㎝くらいの厚さに切ってアルミホイルで包み、黒焼きにしたものをお茶と一

緒に食べる（心臓病のむくみにもいい）

④**半身浴**（111ページ）や**足浴**（117ページ）をして、腎臓への血流を増加させ、排尿を促す

⑤腹這《ば》いになり、腎臓の位置（腰部）に**生姜湿布**（126ページ）をすると腎臓への血流がよくなり、排尿が増す

⑥**キュウリ**の浅漬けやキュウリの塩もみを毎食食べる（キュウリに含まれるイソクエルシトリンに利尿作用があるため）

⑦**生姜紅茶**（96ページ）を愛飲する。

利尿作用がある紅茶のカフェインと、体を温めて腎臓への血流をよくする作用がある生姜のジンゲロンやジンゲロールの相乗効果で、強力な利尿作用が発揮される

⑩ 高血圧、脳卒中（出血・梗塞《こうそく》）

高血圧対策というと、まず塩分を控えることといわれる（高血圧＝上の血圧が１６０㎜Hg以上、または、下の血圧が95㎜Hg以上）。

なぜ、塩分が血圧を上げるかといえば、食べた塩分が血液中に入ると周囲の細胞から水分をたくさん動員（塩には吸湿性がある）するので、血液中の水分量（イコール血液の全体量）が多くなり、その結果、心臓が血液を押し出すのに力を強めるからである。ということは、水分をとり過ぎる人も同じメカニズムで高血圧になる。夏になると血圧が上がる人はそれが原因だ。したがって、以前、最もよく使われていた降圧剤が利尿剤であったという理由がよくわかる。西洋医学でいうところの尿を出して塩分を捨てる薬だが、自然医学的に見ると、体内の水分を捨てて血圧を下げる薬ということになる。

また、高血圧には高脂血症からくる動脈硬化が血管を硬くし、血液の通りを悪くして血圧を上げる、という場合もある。しかし、余分な水分のとり過ぎが体（血管）を冷やし、血管を縮めて血圧を上げるという一面もある。

年をとると高血圧になる人が増えることには、筋肉との関係もある。筋肉は発達するほど毛細血管が増生するため、若い人のしっかりした下半身には毛細血管が多く、血液がたくさんプールされている。これは頭寒足熱の、よい健康状態を保てるという理由でもある。ところが、加齢とともに下半身の筋肉が衰えてくると、この血液が上半身に集まってくる。それが高血圧という形になって表れる理由である。また、この血液が体の一番上にある脳に集まってあふれ出た状態が脳溢血（脳出血・脳梗塞）である。

したがって、高血圧や脳卒中を予防、治療するためには、**下半身の筋力低下（冷え）を防ぎ、塩分や水分を排泄し、高脂血症で血管を狭く細くさせない**ということになる。

そのためには、以下の方法を実行することだ。

①**タマネギ**と**ダイコン**をスライスし、**ワカメ**を加えてサラダを作る。しょう油味ドレッシングで毎日食べる。タマネギは下半身を強くし、血管を拡張するため血流をよくして血圧を下げる。ワカメも降圧成分を含み、豊富な食物繊維が腸から血液への脂肪分の吸収を阻害するため抗脂血作用を発揮する。ダイコンのビタミンPは血管を強化する

「高血圧」は体内の余計な水分を出す！

②**タマネギ**の薄茶色の皮10gを、水600mlを入れた鍋に入れ、水が半量になるまで煎じ、これをこした汁を1日数回に分けて飲む。皮の茶色の色素（クセルエチン）に降圧効果がある

③肉・卵・牛乳・バターは控え、**魚や魚介類**をしっかりとる。魚や魚介類に含まれるEPAやDHAなどの油やタウリン（アミノ酸）が血圧低下、抗血栓作用を発揮する

④納豆、味噌、しょう油、チーズなどの**発酵食品**にはピラジンという抗血栓物質が入っているので、積極的に食べる

⑤**生ジュース**として、
ニンジン2本（約400g）↓240cc
リンゴ2／3個（約200g）↓160cc
セロリ（約100g）↓70cc
＝計470cc（コップ2・5杯）
を毎食愛飲する。ニンジン、セロリ、パセリ、セリなどのセリ科の植物には抗血栓物質のピラジンを含み、ニンジンは下半身を強くし、体を温める。また、リンゴの中の豊富なカリウムは、塩分を尿とともに捨てる作用がある

⑥毎日、**ウォーキング**や**スクワット運動**（123ページ）をして下半身の筋力をつけ、血液を下半身に下ろす

⑦**入浴**は37～40℃くらいのぬるめのお湯に15～20分入る。42℃以上の入浴では血圧が30㎜Hg以上上がるので要注意。また、入浴により体が温まると、プラスミンという血栓を溶解する物質が体内で多量に生成される効果がある

⑪ 低血圧

正常な血圧は上（収縮期）の血圧が１００〜１４０㎜Hg、下（拡張期）の血圧が50〜90㎜Hgであるが、上の血圧が１００㎜Hg未満の場合、低血圧とされる。低血圧は体の新陳代謝が悪く、体温の低い人がなりやすい。漢方でいう陰性体質の人の一症状と考えていい。

そんな人は、以下の対策を実行することである。

①塩、味噌、しょう油、メンタイコ、漬け物、塩シャケ、佃煮など**塩気が利いた体を温める食べ物**をしっかり食べる

②**梅醤番茶**（98ページ）や**しょう油番茶**（98ページ）、**生姜湯**（97ページ）を愛飲する

③魚の血合肉《ちあいにく》など、**色の濃い食べ物**をしっかり食べる。また、エビ、カニ、イカ、タコ、

貝などの**魚介類**には強心作用を有するタウリンが多く含まれるのでしっかり食べる

④**ウォーキング**をはじめ、筋肉を積極的に鍛える運動をして体温を上げる

⑤**入浴**は42℃ぐらいの熱い湯に10分入るか、**生姜風呂**（115ページ）、**塩風呂**（114ページ）などで体を十分に温める

⑫ 狭心症、心筋梗塞

心臓の筋肉に栄養分を供給している血管（冠動脈）が動脈硬化で狭く細くなり、心筋への栄養や酸素が十分に供給されない時に胸痛が生じる。それが狭心症だ。細くなった冠動脈に血栓がつまり、それより先への血流が途絶え、心筋が壊死《えし》を起こすと心筋梗塞になる。痛みは胸骨下部から左前胸部に起こることが多いが、左肩・左手・アゴに痛みが散らばることもある。痛みが15分以上続く場合は心筋梗塞の疑いがあるので、即、病院に行ったほうがいい。

動脈硬化性の狭心症は、運動（労作）時、食事中や食後、ストレス（精神緊張）時に起こることが多いが、安静時に冠動脈が攣縮《れんしゅく》（細かくケイレンして細くなる）をするために起こる狭心症は異型狭心症といわれる。これは漢方的にいうと、水分のとり過ぎや冷えにより冠動脈が攣縮するものと考えられる。

これらの予防、治療の手助けとして、以下の方法を実行していただきたい。

①肉、卵、牛乳、バターなどの欧米食のとり過ぎは動脈硬化を促進するので少なめにし、**魚や魚介類**をしっかりとる。魚や魚介類に多く含まれるEPA、DHAなどの油やタウリンが動脈硬化や血栓を予防してくれる

②**ラッキョウ**を毎日3～5粒食べる。カレーライスにつきもののラッキョウをはじめ、ニラ、ニンニク、ネギなどのアリウム属に含まれる野菜は、冠動脈を拡張して血行をよくし、豊富に含まれているビタミンB_1が心筋の働きを強くするので、狭心症・心筋梗塞の予防・治療の一助になる

③**卵醤**（102ページ）を2日に1回とる

④週3～4回、超ゆっくりの**ウォーキング**（毎分40ｍの速度から始める）を1回につき30分やる

⑤「**卵油**」を飲む

《作り方》
〈１〉卵黄（できれば有精卵）10個をフライパンに入れて強火にかけ、木じゃくしで根気よく混ぜ続ける
〈２〉焦げて煙が出てきても混ぜ続けると、黒いねっとりした油が出てくるので火を止め、この油を布でこす（冷暗所に保存すると長期保存も可）

⑥**牡蠣《かき》**
牡蠣はタウリンを多く含み、血栓（心筋梗塞）の予防・改善に役立つばかりでなく、心筋の力を強め、冠動脈の攣縮《れんしゅく》を防ぐ働きがある。牡蠣の季節には大いに食べるべきである

⑦**生ジュース**として、
ニンジン２本（約４００ｇ）→２４０cc
リンゴ２／３個（約２００ｇ）→１６０cc
タマネギ（約20ｇ）→12cc
＝計４１２cc（コップ２杯強）

を飲む

一般的にはこぶし大の心臓が全身へ血液を送り出し、全身の血液を引き戻していると思われているが、実はそんな力は心臓にはない。筋肉（特に下肢）を動かすことにより、筋肉が収縮と弛緩《しかん》をくり返すことで、筋肉の中を走っている血管が収縮、拡張して血液の流れをよくし、心臓の働きを助けている。これをmilking《ミルキング》 action《アクション》（乳搾り効果）という。また、足の裏は第2の心臓といわれ、心臓から全身へ押し出される血液の流れの折り返し地点でもある。歩くことで足の裏が刺激されると血流がよくなり、心臓の働きを助けることにもなる。

ここに、某医大でなされた興味深い実験がある。

何百人かを無作為に選んで1日の歩数を調べ、それを、

（A）2500歩以下の群
（B）5000歩以下の群
（C）7500歩以下の群
（D）1万歩以下の群

（Ｅ）１万２５００歩以下の群

に分けて心電図の異常を調べたところ、全員自覚症状はないにもかかわらず心電図に異常が表れた人の率は、

（Ａ）群＝40％
（Ｂ）群＝25％
（Ｃ）群＝15％
（Ｄ）群＝４％
（Ｅ）群＝０％

であったという。

心電図異常とは、専門的にいえばＳＴ波の低下やＴ波の低下など、虚血性の心臓病の準備状態を示しているということである。つまり、心筋梗塞も、心臓という上半身の臓器に栄養を送っている冠動脈に血栓がつまる病気なので、先の脳梗塞の例と同じく、下半身の血液が上半身に集まり過ぎた状態であり、実は下半身の病気ともいえるのである。だからこそ、**心臓病の予防・改善には下半身を鍛えることが肝要**なのだ。

⑬ 疲労、倦怠感《けんたいかん》、夏バテ

脳や筋肉をはじめ、全身を作っている60兆個の細胞のエネルギー源は糖分である。したがって、糖分が不足すると、ふるえ、脱力感、しびれ、冷や汗などの症状が出現し、ひどくなると失神を起こす低血糖発作が出てくる。タンパク質や脂肪が不足しても、低タンパク発作や低脂肪発作などの発作は起きないことを考えると、人間の活動に一番大切なのは糖分ということになる。

この糖分を体内で効率よく利用・燃焼してくれるビタミンがビタミンB_1である。疲れ対策として効果的なのは、この**ビタミンB_1と糖分をしっかりとることや、体を温めて血行をよくするための以下の方法を実行する**ことである。

①**ネギ、ニラ、ニンニク、タマネギ、ラッキョウなど**アリウム属の野菜は、血行をよくする硫化アリルや疲労回復に必須のビタミンB_1を多量に含むので、いろいろと工夫してとり

入れるようにする。

〈1〉**「ニンニク加生姜湯」**を飲む

ニンニク20g（皮をむく）、生姜20g（皮つき）をそれぞれ薄切りにし、コップ3杯（約500ml）の水を入れた鍋で、水が半量になるまで煎じる。煎じ汁をこしてハチミツを少々加え、温かいうちに飲む

〈2〉**ネギ加生姜湯**（136ページ）を飲む

〈3〉ネギ、カツオブシ、しょう油、水、すり下ろし生姜を混ぜ合わせ、よく煮て食べる

②**生姜紅茶**（96ページ）にハチミツや黒砂糖を多めに入れて、1日数回飲む

③お酒の好きな人なら、**生姜入り日本酒**（日本酒の熱カンにすり下ろし生姜を適量入れる）を飲む

④**生ジュース**として、

ニンジン2本（約400g）→240cc

リンゴ2／3個（約200g）↓160cc
タマネギ（約20g）↓12cc
＝計412cc（コップ2杯強）
を飲む

⑤入浴は血行をよくし、精神の疲労もとってくれる**シソの葉風呂**（シソの葉100〜200gを刻んで布袋に入れ、湯舟につける）に入るといい

⑭糖尿病

西洋医学では、糖尿病は膵臓のランゲルハンス島のβ《ベータ》ー細胞から分泌されるインスリンの不足が原因といわれる。

これはもちろん間違いではないのだが、日頃、多くの患者さんを診察して気づくことは、糖尿病の人は例外なく上半身に比べて下半身が細いということだ。人間の体温の40％以上は筋肉が糖分を燃やして生まれるものであり、その筋肉の70％以上が下半身に存在するのだから、下半身が細くなれば糖分の消費が少なくなるため血中に残り、糖尿病になりやすくなるとも考えられる。

そのためには**下半身の筋肉を鍛えるのはもちろんのこと、糖分を燃焼させたり糖分の吸収をさせないような、以下のような食べ物をとること**である。

①**ひじき**の炒《いた》め物や**キンピラゴボウ、ワカメ**の味噌汁を毎食食べる。これら食物繊維が豊

富なものをとると、腸から血液への糖分の吸収を防ぎ、血糖の上昇を抑える

②**生姜紅茶**（96ページ）に黒砂糖を入れて、毎日3杯以上飲む。生姜や黒砂糖にはインスリンの成分となる亜鉛が多く含まれ、体を強力に温める効果もあるので糖分が燃焼する。黒砂糖が血糖値を下げるという研究報告も最近見られるようになった

③**タマネギ**と**ダイコン**をスライスし、**ワカメ**を加えたサラダをしょう油味ドレッシングで毎日食べる。

タマネギには血糖値降下作用のあるグルコキニンがたくさん含まれ、ワカメには食物繊維が豊富。しょう油は体を温めて糖の燃焼を助ける作用がある

④**ヤマイモ**を毎日多食する。糖尿病は漢方的にいうと「腎虚《じんきょ》（下半身の弱り）」が原因である。下半身を強くするには、「相似の理論」からして根菜類を食べるといい、ということになる（相似の理論とは、人間の下半身は植物の根にあたり、地面の上に出ている葉や茎、花は上半身にあたるという考え。下半身を強くするには植物の根をとり入れ、上半身

「糖尿病」は下半身で熱を燃やして治す

の健康には葉や茎をとるといい）。根菜類でも、特に下半身の強化に役立つのがヤマイモ。実際に老化予防や糖尿病に効く八《はち》味《み》地《ぢ》黄丸《おうがん》の主成分もヤマイモである。

アルコール好きの人は、次の「**ヤマイモ酒**」を飲むといいだろう。

《作り方》

〈１〉ヤマイモ（またはナガイモ）２００ｇを乾燥させ、細かく刻む

〈２〉〈１〉をグラニュー糖約１５０ｇ、焼酎１・８ℓとともに広口ビンに入れ、冷暗所に３カ月おいておく

〈３〉できたヤマイモ酒を就寝前に約30cc飲む

⑤**生ジュース**として、

ニンジン2本（約400g）↓240cc

リンゴ1／3分個（約100g）↓80cc

タマネギ（約40g）↓24cc

＝計344cc（コップ2杯弱）

を飲む

⑥**ウォーキング**の実行。分速70～80メートルの「ややゆっくり歩き」で最低20分以上、毎日歩く。歩いて筋肉を動かすと、インスリンが少量しかなくても筋肉が糖分を使うだけでなく、歩くことで内臓の血流がよくなり、膵臓の働きも促進される

⑦入浴については、消費カロリーを増やすには42℃ぐらいの**熱い湯**に入るのがいい。熱い風呂に3分入った後、湯舟の外で5分ぐらい休むというパターンを3回くり返す

⑮肝臓病（肝炎、肝硬変）

西洋医学では「肝臓の細胞はタンパク質でできているので、肝臓病の時は良質の動物性タンパク質をしっかり食べる必要がある」というが、この考え方には疑問符がつく。

なぜならば、「ゾウは陸上動物最大の体格を持っているので、良質の動物性タンパク質をたくさんとらなければならない」というのと同じ暴論である。

人間も草食動物のゾウと同様、歯の形から見ても、本来は穀菜食動物であるからだ。

そのことに加えて、タンパク質の多量摂取は、逆に肝臓を傷める恐れさえもある。

なぜならタンパク質が腸の中で分解されると、アミン、アンモニア、スカトール、インドールなどの猛毒な有害物質が産生される。こうした有害物質は血液の中に入り、全身へ回る前に肝臓で解毒される。しかし、重症の肝炎や肝硬変・肝臓ガンの末期では、肝臓での解毒ができないために有毒物質がそのまま血液に乗って脳に達し、肝性昏睡《こんすい》を引き起こす。その前に、脳神経が傷害を受けたサインとして、両手をバタバタさせる「羽ばたき振《しん》戦《せん》」という症状が起こったりもする。

すべての病気でそうであるが、血液の流れが悪いところに病気は発生し、血流をよくすれば病気は快方に向かう。なぜなら、血液の中には栄養素、水、酸素、白血球、免疫物質が含まれているからである。

肝臓病の人は、肝臓が位置する右上腹部から心窩部《しんかぶ》（みぞおち）の部分が冷たい人が多い。これは肝臓への血流が悪い証拠だ。だからこそ、空気中では20分くらいで死滅する肝炎ウイルス（A型、B型、C型……）などの弱い病原体にも侵されるし、脂肪の燃焼も悪いから脂肪肝になるわけだ。以上のような点をもとに、**肝臓への負担を抑え、血流をよくして肝臓を強化する方法**を掲げておこう。

①**腹八分以下の小食**を守る。食べ過ぎることだけでも肝臓には負担だ。胆汁という消化液も過分に分泌しなければならず、アミン、アンモニアなどの有害物もたくさん発生するため、それらを解毒しなければならないからだ

②**腹巻き**をする。腹巻きが肝臓を温め、肝臓の血流をよくする

「肝臓の病気」は温めて血流を良くすること

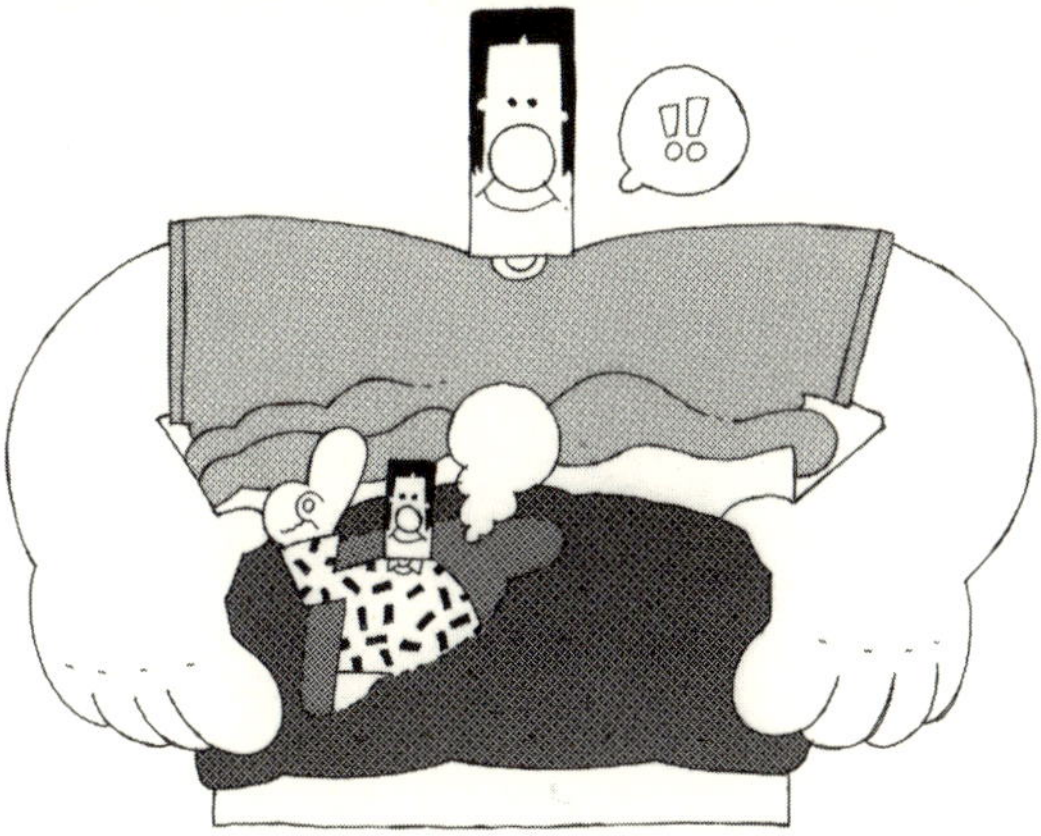

③**シジミ**を重用する。シジミには胆汁の排泄や解毒作用を促すオチアミンやタウリンがたくさん含まれ、そのうえ、肝機能を高めるビタミンB_{12}が多く含まれているので、肝臓の強化にはうってつけだ

〈１〉シジミを入れた味噌汁を毎日食べる

〈２〉**「シジミエキス」**を飲む

《作り方》

（ｉ）水に浸して砂を出したシジミ８００ｇを水１０００mlを加えた鍋に入れる

（ⅱ）（ｉ）を弱火で煮出して、水が半量になったら火を止めてシジミだけ取り出す

（ⅲ）（ⅱ）でできたシジミエキスをガーゼでこして毎食前に50 mlずつ飲む。密閉した清潔なビンに入れ冷蔵庫に保存すれば数日は

保存できる

④**アサリ**にもシジミと同じタウリンが入っているので、アサリの味噌汁で代用してもいい。また、魚介類（エビ、カニ、イカ、タコ、貝、牡蠣《かき》）にもタウリンが入っているので積極的に食べる

⑤**生ジュース**として、

ニンジン2本（約400g）↓240cc
リンゴ1個（約300g）↓240cc
キャベツまたはセロリ（約100g）↓70cc
計＝550cc（コップ3杯＝1日量）

を飲む。キャベツやセロリには強肝作用がある

⑥右上腹部から心窩部《しんかぶ》にかけて、1日1～2回**生姜湿布**（126ページ）を施す。こうすると肝臓の血流をよくして、肝臓病の治癒を早めることができる

⑯ 膀胱炎《ぼうこうえん》、腎盂《じんう》腎炎《じんえん》

膀胱炎の大半は、肛門のまわりの大腸菌が尿道を逆行し、膀胱に到達するために起こる。解剖学的に見て女性に起こりやすいのはこのためだ。

膀胱炎に対しては、水分をたくさんとって尿量を多くし、菌を洗い流すようにと西洋医学では指導されるが、これは半分正しく、半分間違いである。

なぜなら、女性の腹部を触診すると、ほとんどの人はヘソより下が冷たい。ということは、ヘソより下に収まっている子宮、卵巣、膀胱などへの血流が悪いことを示す。膀胱への血流が悪いことは、すなわち、細菌を貪食《どんしょく》・殺菌する白血球の膀胱への供給が少ないために菌の侵入を防げず、膀胱炎の原因につながる。くり返しになるが、水分をたくさんとることは、体を冷やし、血流をより悪くする弊害もあるのだ。

なお、腎盂腎炎も細菌がさらに上昇していき、腎臓への出口まで到達して起こるものなので、対処法は膀胱炎と同じである。

では、**体を温めながら排尿をよくする**にはどうしたらいいか。以下のやり方が効果的だ。

①**生姜紅茶**（96ページ）を1日に5〜6杯飲む。これで体を温めながら排尿をよくすることができる

②**ゆで小豆**（147ページ）を1日2回飲む

③利尿作用がある**キュウリ**を食べる。ただし、キュウリは南方（インド）原産であるので体を冷やすというデメリットがある。したがって、それを補うためにはヌカ漬けにするといい。日本人が昔からキュウリを生野菜としてでなく、漬け物にして食べてきたのも、この知恵があったからだ

④利尿作用と解熱作用を有する**レタス**を煎じて飲む（**「レタスの煎じ汁」**）

《作り方》

〈1〉600mlの水を入れた鍋にレタスの葉300gを入れて、弱火で水が半量になるま

で煎じる

〈2〉〈1〉をガーゼかふきんでこして、1日3回に分けて温めて飲む

⑤**半身浴**（111ページ）をする

⑥**生姜湿布**（126ページ）を下腹部にする

⑰ 湿疹、ジンマシン、アトピーなどの皮膚病

皮膚病は総じて体内の老廃物と水分が皮膚を通して排泄されている現象だ。よって、過食の人、水分をたくさんとるために体が冷える人、運動をしない人がかかりやすい。したがって、これらの原因を取り除き、**体内の老廃物と水分をできるだけすみやかに出す**対策を講じることだ。

①食事は**よく噛んで腹八分目**にする

②**ウォーキング、スポーツ、入浴**などを積極的に行なう

③**「シソの煎じ汁」**を飲む

《作り方》

「皮膚の症状」は、体を温めて体内の老廃物を出し切る！

〈１〉シソの葉５ｇを火であぶって乾燥させる
〈２〉〈１〉を２００mlの水を入れた鍋で水が半量になるまで煎じる。シソには解毒作用があるため、この煎じ汁を１日２～３回に分けて飲む

④**キンピラゴボウ**を毎日食べる。ゴボウは解毒作用があり、皮膚病の妙薬である

⑤**「シイタケの煎じ汁」**を飲む。シイタケ10ｇを５００mlの水で半量になるまで煎じる。これを１日３回に分けて温めて飲むと、発疹《ほっしん》を促し、皮膚病の治療を早める効果がある

⑥**生姜湯**（97ページ）に葛粉《くず》3gを入れて飲む。発汗を促し、皮膚病を軽減できる

⑦**ビワの葉やモモの葉を入れた薬湯**（116ページ）に入浴する

⑧**生姜風呂**（115ページ）、**塩風呂**（114ページ）に全身浴した後、シャワーを浴び、同じ風呂で今度は**半身浴**（111ページ）を15〜30分行なう。大量の発汗をして皮膚病の治りを早くする。風呂から上がる時もシャワーを浴びたほうがいい

⑨**ゴボウ**をすり下ろして温め、ガーゼにつけて湿疹、ジンマシンや虫さされの患部に湿布する

⑩熱を持ったかゆみの場合には、すり下ろした**キュウリ**にガーゼを浸して患部に貼る。キュウリは解毒作用と熱を冷ます作用がある

⑱ 水虫

水虫は白癬《はくせん》菌というカビが起こす皮膚炎である。湿気の多い皮膚、つまり、足指の間（つけ根）、足の裏、手の指の間、掌などに多発する。患者さんに聞くと文字通り「水分」をたくさんとっている。患部を清潔にしてなるべく乾燥させるほか、次の対策が有効だ。

①体を冷やす、水、茶、コーヒー、清涼飲料水などの水分をとり過ぎない。代わりに**生姜紅茶**（96ページ）を飲んで体を温め、利尿を促す

②カップ１杯の**酢**を洗面器に入れ、湯で3〜4倍に薄めて患部を30分くらいつける

③患部を洗って乾かしたところに、すり下ろした**生ニンニク**をガーゼで包んで湿布する。数分後に水で洗い流す

⑲ 肌荒れ

肌にとっての大敵は乾燥、紫外線、血行不順（冷え）である。また、疲労、睡眠不足、便秘、ストレスも肌を荒らす原因だ。美肌作りには、次のことを実行することである。

①**ゴマ**を食べる。ゴマはリノール酸やビタミンEを含んでおり、血行をよくするため、美肌作りに大いに役立つ

〈1〉**黒ゴマ塩**（147ページ）をご飯にたくさんふりかけて食べる

〈2〉「**ゴマ湯**」を毎日飲む

《作り方》黒ゴマ15gを400mlの水で半量になるまで煮つめて、ゴマごと毎日飲む

②**生ジュース**として、

ニンジン2本（約400g）↓240cc

リンゴ１個（約３００ｇ）　→２４０cc
レモン半個（約50ｇ）　→30cc
＝計５１０cc（コップ３杯）

を飲む。ニンジンは肌の健康に必要なビタミンＡを存分に含み、レモンは肌の膠原線維《こうげんせんい》の生成に必要なビタミンＣを含む

③**「ヤマイモ梅干し」**を毎日食べる

《作り方》

１００ｇのヤマイモ（またはナガイモ）の皮をむいてスライスし、梅干し１個（の果肉）と和《あ》えて刻みノリをのせて食べる。ヤマイモのヌルヌル成分であるムコ多糖類には保湿作用があり、梅肉は皮膚の血行をよくして美肌をつくる

④**ハトムギ茶**を飲む

⑤**ユズの薬湯**（116ページ）に入浴する

⑳ 冷え性

「冷え性」という病名は西洋医学にはないが、東洋医学では「冷えこそ万病の元」と考える。漢方の原典である『傷寒論』という題名も、「寒さに傷《やぶ》られた病気を治す理論」という意味である。

したがって、「冷え性」は単なる「手足の冷え」だけですむ問題ではなく、痛みやこり、風邪をはじめとする気管支炎や膀胱炎などの感染症の原因になる。

宇宙のすべての物体は冷えると硬くなることを考えると、膠原病やガンなどの硬くなる病気や、動脈硬化、心筋梗塞なども冷えと深く関わって起こってくることがわかる。たかが「冷え性」とあなどらず、常に対策を講じることが重要だ。

①塩、味噌、しょう油、メンタイコ、根菜類など79ページで示した**陽性の食品**を毎日しっかり食べる

②**生姜紅茶**（96ページ）、**生姜湯**（97ページ）、**しょう油番茶**（98ページ）などを重用する。生姜の量を多くしてもかまわない

③体温は筋肉から40％以上が発生するので、**ウォーキング**をはじめ、**スポーツや体を動かす仕事**を心がける。そのほか、カラオケ、おしゃべり、趣味への没頭などでも交感神経の緊張がとれるため、血流がよくなって体が温まる

④③にも関連するが、「**前向きの思考**」は体を温める。「後ろ向きの思考」である、うらみ、つらみ、嘆きや悲しみは体温を下げる。常に物事のいい面を見て明るく考えること、大いに笑うことで脳からβ《ベータ》－エンドルフィンという、体をリラックスさせ、血流をよくするホルモンが出ることがわかっている

⑤**日本酒の熱カンや紹興酒、ヒレ酒**などは特に体を温める。アルコール好きの人なら、就寝前に適量飲んで寝るといい

⑥次のような入浴法、サウナを活用する。

〈1〉**生姜風呂**（115ページ）や**塩風呂**（114ページ）に入る

〈2〉42℃ぐらいの**熱い風呂**に3分間入浴した後、湯舟の外で足に10秒間、冷水を浴びせる。この動作を5回くり返す。熱い風呂が苦手な人は、次の〈3〉のやり方がいい

〈3〉38℃くらいのぬるめの風呂に30分間くらい**半身浴**（111ページ）をする

㉑ 痔

痔は肛門付近に分布する静脈の血行が滞って起こるので、先に述べた「瘀血《おけつ》」のひとつの症状である。

食べ過ぎ、飲み過ぎやカレーなどの刺激のある食べ物をとったり、座りっ放しの仕事続きなどで肛門付近の血行が悪くなると悪化するし、便秘も悪化の要因になる。血行をよくするために、特に次のような対策を実行することだ。これで痛みが軽くなり、完治につながっていく。

①**ホウレンソウ**を存分に利用する。ホウレンソウは胃腸全体の清掃、浄化をし、便秘を改善する。また、血液を浄化し、出血を止める効果があるので、黒ゴマと和えて毎日食べるといい

②**生ジュース**としては、
ニンジン1本半（約300g）↓180cc
ホウレンソウ（約200g）↓130cc
パイナップル（約300g）↓210cc
=計520cc（コップ3杯）
を飲む。パイナップルにはタンパク分解酵素のブロメリンが含まれ、血流が滞る原因であるフィブリンというタンパクを分解・除去する。ホウレンソウには止血効果があるビタミンKも含まれる

③**イチジク**は緩下作用のほかに痔を治す効果もあるので、イチジクの季節には存分に食べること

④**入浴**は血行をよくするので活用する。以下のように工夫して入ると、より効果的だ
〈1〉38℃～40℃のぬるめの風呂に15分入った後、42℃ぐらいの熱めの風呂で半身浴（111ページ）を5～10分する。この時、肛門を引き締めたり、ゆるめたりする運動を行なうと

さらにいい

〈2〉**ニンニク風呂**や**イチジク風呂**は血行をよりよくして痔に奏効する。ニンニク１個、またはイチジクの葉２〜３枚を刻んで布袋に入れ、風呂を沸かす前から湯舟に入れておく

〈3〉入浴中に患部を10分ないし20分間、指で念入りに**マッサージ**する

⑤**ニラ**の葉をすり下ろして搾り汁を作り、患部に塗る

㉒夜間頻尿《ひんにょう》、精力減退、抜け毛、白髪

加齢とともに下肢・腰の筋力が低下し、下半身が細くなってくる。こうなると腰痛、ヒザの痛み、下肢の冷え、むくみ、インポテンツ、頻尿などの下半身の衰えの症状に比例して、目の疲れ、老眼、耳鳴り、聴力低下、抜け毛、白髪といった老化現象が目立ってくる。こうした症状を漢方では「腎虚《じんきょ》」という。腎とは腎臓も含めた泌尿器や生殖器の力、生命力を含めた漢方特有の名称である。

こうしたさまざまな老化の症状を改善するには、まずは以下のように下半身を強化することが先決である。

①「相似の理論」（170ページ）でいえば、人間の下半身は植物の根にあたるので、毎日**ゴボウ**、**ニンジン**、**レンコン**、**ネギ**、**タマネギ**をキンピラゴボウやタマネギのサラダ（タマネギとダイコン、ワカメをスライスして、しょう油味ドレッシングをかける）にして食べ

る

②特に**ヤマイモ**は腎虚を回復させる力が強いので、次のようにして存分に食べるといい

〈１〉トロロそばや麦トロにして食べる

〈２〉**ヤマイモ梅干し**（185ページ）を食べる

〈３〉酒の好きな人は、**ヤマイモ酒**（171ページ）を就寝前に30 mlくらい飲んで寝る

③**ゴマ**はタンパク、脂肪、ビタミン、ミネラルを多く含み、強壮強精作用があるので、次のような食べ方でどんどん食べる

〈１〉**黒ゴマ塩**（147ページ）をご飯にふりかけて食べる

〈２〉「**ゴマハチミツ**」を毎日食べる

《作り方》

市販されているクリーム状の練りゴマとハチミツを３対２の割合で混ぜて食べる

〈３〉「**黒酢に黒ゴマ**」を毎日スプーン２杯くらい飲む

《作り方》

適量の黒酢に、その半量の黒ゴマを加え、約1カ月置くとでき上がる

④**牡蠣《かき》**は「セックスミネラル」といわれる亜鉛成分を多く含むので、牡蠣の季節には生牡蠣や牡蠣鍋を常食する

⑤**ウォーキング**や**スクワット運動**（123ページ）で下半身を鍛える

⑥下半身の血行をよくするため、入浴は全身浴の後、温かいシャワーを浴びて少し休んでから**半身浴**をする

㉓ 不眠症

不眠症が明らかにコーヒーやお茶のカフェイン、暑さや寒さの刺激、かゆみ、痛み、頻尿などが原因だという時を別にすると、眠れないと訴える人の大半が冷え性の人である。

手足が冷えるため、健康の大原則である「頭寒足熱」の逆の状態、つまり「頭熱足寒」になってしまうからだ。こうなると頭に血が上り、脳内が充血するため、脳の神経が休まらないのである。これではグッスリ眠れない。乳幼児が眠くなると手足が温かくなることでもわかる通り、心地よい睡眠につける時は、手足がポカポカと温まってくるものだ。そんな状態を作り出す、以下のやり方で、快適な睡眠を得ることができる。

①**体を動かす仕事やウォーキング**などを十分に行なって筋肉を使い、日光も存分に浴びる

②就寝して体温がスーッと下がっていく時によい眠りにつくためには、就寝前に体温を上

げておくといい。そのために、次のように**入浴**を工夫する
〈1〉37～39℃の**ぬるま湯**に20分ぐらいつかり、アルコール好きなら、入浴後、軽くアルコール（ビールより体を温める赤ワインや日本酒がいい）を飲む
〈2〉手足の冷たい人は、洗面器に粗塩《あらじお》をひとつかみ入れ、42℃ぐらいのお湯を加えて**足浴または手浴**を5～10分行なう

③**シソの葉**と**生姜**の精神安定作用を活かす
〈1〉**シソの葉加生姜湯**（151ページ）を就寝前に飲む
〈2〉**刻んだシソの葉とネギを入れた熱い味噌汁**を就寝前に飲む

④**梅干し**の果肉1～2個をお湯に溶いて飲む

⑤「**シソ酒**」を就寝前に杯に1～2杯飲む
《作り方》青ジソの葉（100g）を水洗いして1日陰干しする。清潔な広口ビンに入れて、氷砂糖200g、ホワイトリカー10カップ（1・8ℓ）を加えて冷暗所に3カ月置く

㉔ ストレス、ノイローゼ、うつ、自律神経失調症

ストレス、ノイローゼ、うつ、自律神経失調症などの神経疾患は低体温の人がなりやすい。また、不調の時はさらに体温が下がるものだ。

自殺が最も多い国はハンガリーで、フィンランドやスウェーデンなど北欧の国が続く。日本では秋田県、新潟県、岩手県が自殺の多い県だ。自殺する人は90％までが、うつ病かうつ状態になっているとされる。うつ病は11月から３月までの寒い時期に発症する人が多い。うつ病の人で、１日のうちで最も不調な時間帯は午前中である……このようにあげていくと、気温や体温の低下がこうした精神疾患の大きな原因になることに気づく。

逆にいえば、以下のようなやり方で**体温を上げ、汗をかくことで、気分は発散できる**メカニズムになっているということである。

①**生姜湯**（97ページ）または、**シソの葉加生姜湯**（151ページ）を１日３回以上飲む。シソ

の葉と生姜には「気を開く」＝「うつ気をとる」という作用がある

②**シソの葉の料理**（シソの葉入り味噌汁、シソの葉の天ぷら）や、**生姜の料理**（生姜の漬け物、紅生姜《べにしょうが》、刻み生姜入りの味噌汁）など、シソと生姜をふだんの食生活に存分にとり入れる

③約10ｇの**シソ**の葉をコップ1杯の水で煎じて半量にし、1日3回飲む

④**生ジュース**として、
ニンジン2本（約400ｇ）→240cc
リンゴ1個（約300ｇ）→240cc
シソの葉（約50ｇ）→35cc
＝計515cc（コップ3杯）
を飲む

体温UPで落ち込んだ気分は即解消！

⑤**「生姜酒」**を就寝前に20～30cc飲む

《作り方》

〈1〉ひね生姜100gを水洗いし、水を切ってから、皮をむいて薄くスライスする

〈2〉果実酒用の広口ビンに〈1〉と氷砂糖150gを入れ、ホワイトリカー1・8ℓを注ぎ、密封して冷暗所で約3カ月漬ける

〈3〉ガーゼでこして保存する

⑥**黒ゴマ塩**（147ページ）をご飯にかけて食べる。ゴマはカルシウムやレシチンを多く含むため、脳や神経の働きを強め、精神を安定させる作用がある

⑦**タマネギ**のサラダ（ダイコン、ワカメで作

る＝170ページ）を毎日食べる。タマネギの中のビタミンB_1や硫化アリルには、神経を安定させる働きがある

⑧入浴も**生姜風呂**（115ページ）や**シソの葉風呂**（168ページ）にし、また、半身浴やサウナで発汗して「水毒」を改善し、体を温める

⑨**ウォーキング**をはじめとするスポーツで筋肉を鍛え、体温を高める

⑩カラオケ、趣味に打ち込むなど、**楽しいことをやる**と体温も上がり、脳から快感ホルモンのβ－エンドルフィンやセロトニンが分泌されて精神疾患の予防・改善につながる

⑪神仏、自然、周囲の人々に感謝をして生きると、⑩と同様の効果が得られる

㉕ 生理不順、生理痛、更年期障害、子宮筋腫

先にも述べたように、大半の女性のお腹は、触診するとヘソより上と下では体温が全然違うことがわかる。下腹部が格段に冷えているのである。

冷えたところは血行が悪いことを意味し、病気が起こりやすい。なぜなら、血液は栄養、酸素、水、白血球、免疫物質をかかえて全身を回っているので、血行が悪いところとは、つまり、必要な血液が行き渡っていない場所ということになるからだ。

ヘソより下の下腹部に子宮、卵巣が存在するので、このように下腹部が冷えている女性は、子宮筋腫（硬くなる病気＝冷え）や卵巣のう腫（漿液《しょうえき》という水分の貯溜）・子宮や卵巣のガン（ガンも冷えの病気）が起こりやすいのである。

下腹部（下半身）が冷えると、そこに存在していた血や熱は上昇していき、のぼせ、息苦しさ、肩こり、吐き気、セキ、発汗、イライラ、不安、不眠などの「下から上へ突き上がってくる症状」のオンパレードになる。

これが更年期障害といわれるものだ。

①性ホルモンの分泌を促すアルギニンを含んだ**ゴボウ**を多く摂取する。そのためにはキンピラゴボウを毎日食べたり、味噌汁にゴボウを入れて食べるといい

②**黒豆**は漢方でいう腎（腎臓、泌尿器、生殖器）が虚した（不足した）状態に効くので、黒豆を黒砂糖と煮た物を作って常食にする

③**ダイコンの葉**は血行をよくし、「瘀血《おけつ》」（48ページ）をとって婦人病に効くので、味噌汁の具に入れて食べるといい

④**生姜紅茶**（96ページ）に入れる黒砂糖の代わりに、**ハッカ（シソ科）のアメ**を入れて1日3〜4杯飲む。のぼせに効果的

⑤**濃い番茶に、すりつぶした黒ゴマ塩**を1さじ入れて1日4〜5杯飲む。生理痛に効くの

「婦人科の悩み」は下腹部を温めて解決！

で、生理の2〜3日前から飲むといい

⑥下腹部に**「コンニャク湿布」**をする（生理痛、子宮筋腫、卵巣のう腫に）

《やり方》

〈1〉コンニャク3枚を熱湯で4分間煮る

〈2〉1枚ずつ乾いたタオルにくるむ

〈3〉1枚を下腹部に、ほかの2枚は腹の両側（脇腹下部）に当てる

⑦毎日、下腹部に**生姜湿布**（126ページ）を入浴後にする

⑧42℃ぐらいのお湯を洗面器に入れて**足浴**（117ページ）をする

㉖ 痛風

痛風とは、細胞の核酸のプリン体の最終代謝産物である尿酸が、足の親指の関節をはじめ、あちこちの関節に沈着していき、そこに炎症を起こす病気である。腫《は》れが生じることと、風にあたっただけでも起こる激痛が特徴で、「痛風」という名称もここに由来する。

プリン体は、肉類やモツ類、ビールに多く含まれているので、美食をしている人や、アルコールを飲む量が多い人によく発生する。

尿酸は心臓、血管、腎臓にも沈着して、心筋梗塞、血栓、腎結石、腎不全の原因にもなる。しかし、痛風がよく発生するのは、心臓から最も遠い足の親指である。このあたりの体温は27～28℃しかなく、体の中では一番冷たい。そのために、ここで尿酸が固まり、痛風の発作が起こるわけだ。よって、痛風も冷えの病気といっていいだろう。以下の対策が効果的である。

①**足浴**を１日に１度して足を温め、足の血行をよくする

②**入浴**は全身浴の後に半身浴をやり、発汗と排尿をさせて尿酸の排泄を促す

③**生姜風呂**（115ページ）も足を温め、発汗・排尿を促して尿酸を排泄するので、痛風の予防にいい

④**ホウレンソウ**には尿酸の分解・排泄を促す作用があるので、ホウレンソウのゴマ和えなどにして毎日食べる

⑤**生ジュース**として、
ニンジン２本（約４００g）↓２４０cc
リンゴ１個（約３００g）↓２４０cc
セロリまたはキュウリ（約１００g）↓70cc
＝計５５０cc（コップ３杯）

を毎日飲む。セロリには骨、血管、腎臓に沈着している尿酸の沈殿物を溶かす作用がある。キュウリは排尿をよくして、尿酸の排泄を促す

⑥ウォーキングはエネルギー代謝を高め過ぎないように、**スロー歩き**(分速60メートルくらい)で1日30分以上、週3日以上やるといい。なぜなら、尿酸は体内のエネルギー代謝が亢進すると大量に産生されるからだ

⑦**キャベツ**と**ワカメ**のサラダに**黒酢**をかけて食べる。キャベツやワカメは尿をアルカリ性に傾け、尿酸の排泄を促す。また、黒酢も尿酸の排泄に有効である

⑧痛みがある部分に**キャベツの葉**を当てる。痛風発作が出たら、キャベツの葉にアイロンを当て、葉がしなびてから痛みの部分に数枚重ねて貼るといい

㉗ 胆石

胆石は昔から「3Fの人」に多いといわれる。Fatty、Forty、Female、つまり太った40歳代の女性に多い、というのである。確かに、女性のお腹を触診すると、ほとんどの人が冷たい。ということは、冷えたお腹の中で物が固まりやすいというわけだ。

胆汁の成分（昔はビリルビン石が多く、いまは欧米食の影響でコレステロール石が多い）が固まったのが胆石なので、お腹の冷えと胆石の発生は大いに関係がある。胆石がある人、心配な人は、お腹を温め、胆汁の流れをよくすることだ。以下の方法をとるといい。

①**腹巻き**をしてお腹を冷やさないようにする。できれば右上腹部に**カイロ**（低温ヤケドに注意！）を入れる

②右上腹部に**生姜湿布**（126ページ）を毎日、風呂上がりにする

③エビ、カニ、イカ、タコ、貝、牡蠣の**魚介類**には、胆汁の流れをよくするタウリンが含まれるので、毎日積極的に食べる

④ヨーロッパでは**レモン**1個の搾り汁をコップ1杯の湯に注ぎ、1日数回飲むという胆石の民間療法がある

⑤石を溶かす作用があるセロリ入りの**生ジュース**を飲む

ニンジン2本（約400g）→240cc
リンゴ2／3個（約200g）→160cc
セロリ（約100g）→70cc
＝計470cc（コップ2・5杯）

⑥胆石発作の痛みには、「**梅干し番茶**」を飲むと痛みが和らぐことが多い

《作り方》

湯飲み茶碗に梅干し1個の果肉を入れ、すり下ろし生姜を適量加えて、熱い番茶を注ぐ

㉘ 腎臓病、尿路結石

腎臓病とひと口にいってもその原因はさまざまだ。扁桃《へんとう》をくり返し腫《は》らすことからくる腎炎、原因不明（自己免疫病）による腎炎、糖尿病性腎症、高血圧性腎症など、たくさん存在する。

原因はどうあれ、腎臓病はヘソより下の筋力が弱い人（漢方で「臍下不仁《せいかふじん》」という）に起こりやすい。

臍下不仁のある人は、腎臓病、腎〜尿道結石、前立腺の病気など、下腹部に位置する臓器の病気になりやすい。

したがって、その予防・治療には、以下のように、下腹部を温めて血行をよくし、排尿を増やす方法をとることである。

①**ゆで小豆**（147ページ）を毎日食べる

②**「スイカ糖」**（アメ）を1日3回、食前にスプーン1杯ずつカップに入れてお湯を注いで飲む

《作り方》

〈1〉スイカの果肉を搾って果汁を鍋に入れる

〈2〉弱火で焦げつけないようにかき混ぜながら、アメ状になるまで煮る

〈3〉十分に冷めたらビンに移し、冷凍庫で保存すると1年は保存がきく。スイカに限らず、ウリ科の植物には利尿効果がある。ただし、体を冷やすので、このように煮ることで、その心配も解消できる

③**ソラマメ**は腎臓に似ているので腎臓病に効く（「相似の理論」170ページ）。ソラマメの皮を煮つめて作った「ソラマメ・エキス液」を1日3回、スプーン1杯ずつ飲む

《作り方》

ソラマメの皮100gを鍋に入れ、黒砂糖100g、水1ℓを加えて半量になるまで弱火で煮つめる。その汁をガーゼでこして飲む。ビンに入れて冷蔵庫に保存して常用するといい

④**ヤマイモ**や**ゴボウ**は腎機能を高めるので、麦トロやトロロそば、キンピラゴボウを毎日食べる

⑤**半身浴**や**足浴**を毎日行なう

⑥腹這《ば》いになり、腎臓のある場所（腰の部分）に**生姜湿布**（126ページ）を１日２〜３回行なう

㉙ 貧血

貧血とは文字通り血液、特に赤血球が少ない状態だ。厳密にいえば、赤血球が少ないか、赤血球の色の元になっている血色素の量が少ないかのどちらかである。

低血圧症の人がフラフラしたり、立ち上がる時に立ちくらみが起こることを「貧血」と表現する人がいるが、それは低血圧のために脳への血流が悪いことで起こる「脳貧血」のことで、一般にいう貧血とは違う。

ただし、貧血も低血圧も漢方でいう「陰性病」なので、対応の仕方は大体同じで、以下のようにするといい。

①青白い顔をした「貧血」の人には、赤や黒の**濃い色をした食べ物**が効く。濃い色の食べ物には、血色素のもとになる鉄が多く含まれているためだ

〈1〉ご飯には**黒ゴマ塩**（147ページ）をふりかけて食べる

〈２〉**ホウレンソウ**をゆがいてゴマ油で炒めて食べる
〈３〉**赤身の肉**（マトン）や魚の血合肉《ちあいにく》を食べる
〈４〉**赤ワイン**を飲む
〈５〉**ひじき**はホウレンソウの10倍以上の鉄を含むので、ひじきの炒め物を毎日食べる
〈６〉**「乾燥プルーンの砂糖煮」**を食べる（貧血で便秘の人にいい）
《作り方》
プルーンを鍋に入れたぬるま湯に浸して水分を含ませ、砂糖を適量入れて弱火で煮る

②**シジミ**の味噌汁か、シジミと刻み生姜の炒め物を食べる。シジミは造血作用のあるビタミンB_{12}が多量に含まれている

③筋肉が赤い色をしているのは鉄分を貯蔵しているため。したがって**ウォーキング**や**軽いダンベル運動**で筋肉を鍛えると鉄分の保持ができ、貧血の改善につながる

㉚ 肥満

「吸収は排泄を阻害する」のが人体の生理上の大鉄則だ。つまり、食べ過ぎると、かえって大小便の排泄が悪くなり、太ってくるということになる。体重の60〜65％は水分なので、水分をとり過ぎて排泄が悪いと「水太り」になる。一般に、太った人は、黒や濃い赤など濃い色の衣服を好んで着て、逆に青や白や緑はあまり着ようとしない。本能的にも赤や黒は引き締まって見え、青・白・緑は拡がって見えることがわかっているからだ。このことは、「たとえ同じカロリーでも、青・白・緑のものを食べるとフワーッと太りやすく、赤・黒・橙《だいだい》の食べ物は身を引き締め、太りにくい」という理論の説明にもなる。

体内の余分な水を汗や尿で出すこと、便通をよくすること、脂肪や糖分を燃やす原動力の熱を出すため体を温めることなどが、肥満を解消する大切なポイントになる。

①食べ物は色に注目。青・白・緑より、**赤・黒・橙の食べ物**をしっかり食べること

太りやすい食べ物例（青・白・緑色）	やせやすい食べ物例（赤・黒・橙色）
うどん	そば
牛乳	チーズ
大豆	小豆、黒豆、納豆
白ワイン	赤ワイン
ビール	黒ビール
葉菜	根菜、海藻
南方産の果物（バナナ、パイナップル、ミカン、レモン、メロン、トマト）	北方産の果物（リンゴ、サクランボ、ブドウ、プルーン）
パン	ご飯
白米	玄米
白パン	黒パン
洋菓子	和菓子
緑茶	紅茶
酢	塩辛いもの

②**筋肉運動**（スポーツや労働）を十分にする。筋肉が余分な水分を消費し、体熱を産生して発汗・排尿、脂肪の燃焼をよくするため、やせやすくなる

③**入浴、サウナ**などで発汗する。水分が排泄されると同時に、気化熱で体内のカロリーが使われ、減量の手助けとなる。できれば生姜風呂（115ページ）、塩風呂（114ページ）に入るとさらにいい

④**ゆで小豆**（147ページ）は排尿と排便をよくするので常用すること

⑤**海藻、豆類、コンニャク、黒ゴマ、玄米**など、食物繊維の多いものをしっかりとると便通がよくなり、腸から血液への糖分や脂肪分の吸収を妨げ、減量に役に立つ

—温めるか冷やすかでわかる—

やせる食べ物、太る食べ物の見分け方

㉛ ガン

先にも述べたように、ガンの自然治癒例（ブッシュ、コーリー両医博）を見ても、ガンは熱に弱く、逆に体を冷やすとかかりやすくなることが想像できる。

したがって、**ガンの予防・治療には体熱を上げること**が肝要である。

太った満腹ネズミは、やせたネズミより数倍ガンにかかりやすく、発ガン実験でも、太ったネズミに放射線を照射するとすぐ発ガンしてくるが、やせたネズミには多量の放射線を照射しても、なかなかガンが発生してこないなどの研究報告は数多い。現に太った人にガンが多い。したがって、過食しないこと、太らないこともガンの予防・治療にとっては重要になってくる。

それに、1960年以降のガンの変遷を鑑《かんが》みると、肉、卵、牛乳、バターなどに代表される欧米食は、肺ガン、大腸ガン、乳ガンなどの欧米型ガンのみならず、ガンの総数を増やしているという心配がある。和食中心にした食事がベターということができる。

①食事は昼と夜の1日2食にし、朝は**ニンジン・リンゴジュース**（68ページ）と**生姜紅茶**（96ページ）だけにすること

②ガンに罹《り》患《かん》している人や、再発・転移が心配な人は、**生ジュース**として、

ニンジン2本（約400g）→240cc
リンゴ1個（約300g）→240cc
キャベツ（約100g）→70cc
＝計550cc（コップ3杯）

を朝食代わりに飲む。アメリカの自然治療学者N・W・ウォッカー博士も、「ニンジンとキャベツは潰瘍とガンを治す奇跡の食べ物である」といっている

③主食は**玄米**か、白米なら**黒ゴマ塩**（147ページ）をふりかけてひと口50回以上噛んで食べること

④副食は**梅干し**、**ダイコンおろし**、**ひじき**の炒め物を必ず添えること。それに野菜、豆、

魚介でできたおかずを1〜2品添えること

⑤体力の許す範囲で**ウォーキング**、**入浴**、**サウナ**などで体を温めること

⑥患部に**生姜湿布**（126ページ）をすること

⑦カラオケ、趣味に打ち込む、気の合う人とおしゃべりをするなど、**体を温め**、**気分をよくすること**によって、ガン細胞をやっつけるNK細胞の働きを促進するようにすること

⑧神仏、自然、親、兄妹をはじめ、まわりの人々やものに感謝の念を持って生きること。これは決して精神論ではなく、⑦と同じ効果がある

6章

●ありがとう「温熱健康法」!
ダイエットから内臓疾患、ガンまで「私が治った!」全記録
——うれしい報告が続々と届いています

1 最悪の健診数値(GOT、血圧、コレステロール)が半年で正常値に!

(40歳・男性)

Mさんは170cm、86kgと肥満体ではあるが、大学時代はラグビーの選手だったというだけあり、毎日エネルギッシュに仕事をこなしている。平日の夜はほとんどが取引先やお客様との会食というスケジュールで、「毎日大変だ」とぼやきながらも、酒食の席は決して嫌いなほうではない。

そんなMさんは、毎年の社内健診で、高脂血症、高血糖(糖尿病)、高尿酸血症(痛風)、脂肪肝、虚血性心疾患(心電図上のST、Tの低下)などを指摘され、まさに「生活習慣病の問屋」というべき状態だったが、体力への自信と忙しさもあって放置していた。

しかし、いよいよ2002年の4月の健診では、待ったなしの数値を見せつけられた。

	Mさん	正常値
・コレステロール	350	(220mg／dℓ以下)
・中性脂肪	900	(150mg／dℓ以下)
・尿酸	8・2	(7・5mg／dℓ以下)

・GOT　68（40単位以下）
・GPT　79（35単位以下）
・γ《ガンマ》－GTP　250（60単位以下）
・血圧　180／110（140／90㎜/dℓ以下）

このように、どの数値も著しく高く、心臓の自覚症状はないものの虚血性変化（心筋への栄養を運ぶ冠動脈の動脈硬化性狭窄《きょうさく》）を表す心電図上のST、Tの低下も著しかった。

毎年、担当医からはやせるようにといわれ続けてはいたが、今年は、「とにかく、このままいけば、いつ倒れてもおかしくない」と大目玉もくらった。さすがに少し真剣にはなったが、これまで週末にゴルフに行ったり、ジムに通ったりしても、かえって食欲が増して太るという悪循環であったので思案に暮れていたところ、勤め先の社長からニンジンジュースをもとにした「基本食」を聞き、これならできそうだ、と即、実行に移した。

●朝食は、ニンジン2本とリンゴ1個で作る生ジュースをコップ2・5杯
　生姜紅茶を1～2杯
●昼食は、そば（ざるそばかトロロそば）
●夕食は、これまで通りの酒席でアルコールも存分に

という方法だ。

もともとMさんは朝起きてすぐに食べたくなかったのに、奥さんから「朝食は必ずとってください」といわれ、バターつきのパン、コーヒー、スープをむりやり口に運んでいたので、ジュースと生姜紅茶だけのほうがかえって好都合だった。こうすると、何か胃腸がすっきりして体調がよくなった感じがして、3日目頃から尿の出がすごくよくなり、異常な汗かきだったのに不快な汗をかかなくなり、大便もびっくりするくらい大量に排泄されるようになった。いつもいつも水分を欲していたのに、昼間、水やお茶、コーヒーなど、あまり飲みたくなくなった。

「何だか腹を中心に体全体が軽くなり、気持ちも楽になった感じ」になり、朝、通勤時に駅までの1・8㎞の距離で使っていたマイカーをやめて、歩くようになった。

すると、1カ月で4㎏、2カ月で6㎏、3カ月で8㎏、4カ月で10㎏と、みるみるうちにやせ、6カ月後、75㎏になった時に担当医に診てもらったところ、「Mさん、いったい何をしたんです？　どうやってこんなにやせたんですか」とびっくりされる始末。改めて血液検査をしてみると、

・コレステロール　209　（141ポイント減）

・中性脂肪　１７０（７３０ポイント減）
・尿酸　７・４（０・８ポイント減）
・ＧＯＴ　36（32ポイント減）
・ＧＰＴ　30（49ポイント減）
・γ-ＧＴＰ　66（１８４ポイント減）
・血圧　１４４／86（上36減／下24減）

と、ほぼ正常化。心電図上のＳＴ、Ｔの数値も改善していたという。

お酒は以前と同様に週５日はガブ飲みといっていいような状態なのに、γ－ＧＴＰが明らかに減少している。

このことは、つまり、Ｍさんが「水太り」の肥満だったことを示している。「水毒」がγ－ＧＴＰも上昇させ、また、脂肪の燃焼を悪くし、すべての代謝を悪化させていたというわけだ。**尿や汗をはじめとする水の排泄がよくなるとともに体が温まり、すべての自覚、他覚症状がよくなった**のである。体温も35・９℃から36・６℃と上昇していた。

検診時に体温は測らないが、ぜひ毎年測ってみることをおすすめする。

2 あんなにゴワゴワだった私の〝アトピー肌〟が柔らかに！ （28歳・女性）

28歳のUさんは155cm、65kgと肥満傾向があり、幼少期から小児喘息でさんざん悩まされたが、中学生になって喘息がよくなったのと引き替えのようにアトピー性皮膚炎にかかり、毎年徐々に悪化していた。ステロイド療法をはじめ、温泉療法、免疫療法など、さまざまな治療法を試したが、全身の皮膚に発赤《はっせき》、落屑《らくせつ》（皮膚表皮の角質層が剝《は》げ落ちる現象）をともなうゴワゴワした皮膚炎が存在し、顔や首からはジュクジュクした黄金色の汁が分泌。外出もしたくなくなり、25歳頃からは家でブラブラしているという。

しかし、体を動かさないのに、鯨飲馬食《げいいんばしょく》という表現がぴったりするように、水分もよくとるし、食欲も超旺盛だという。

私のクリニックを受診し、そんな症状、日常を話してくれたUさんに対し、「喘息もアトピーも、体内の老廃物と水分が体外に吹き出てくる状態です。呼吸器を通して出てくるのが喘息で、皮膚を通して出てくるのがアトピーです。したがって、**小食にし、体を動かして排泄、発汗を十分に**しないと治りませんよ。薬で症状を抑えるのは、大便や尿を止めるようなものですから」と説明した。

そして、Uさんに次のようなプログラムを指示した。

朝食はニンジン・リンゴジュースに生姜紅茶、昼食はそば、夕食は陰性食品は避け、陽性食品で作った和食を中心に腹八分目にするという食事。そして、朝夕40分ずつのウォーキング。ウォーキングから帰ったら、全身浴をした後に20分間の半身浴をするという入浴法の実行。

Uさんはこのプログラムを忠実に実行された。

それまで汗がまったくかけなかった体質なのに汗が出はじめ、尿も驚くほど多くなって、体重が1カ月で4kg、3カ月で8kgも減少した。その間、全身の皮膚からドロドロ、ジュクジュクした臭《にお》いのある液体が滲《し》み出して不安に襲われたりもしたが、我慢してプログラムの実行を続けたところ、3カ月目には乾燥し、ゴワゴワだった皮膚も柔らかくなった。いまでは、よほど注意して見ないと、アトピーだったとはわからないぐらいである。

その後は同じ生活を続けることにより、季節の変わり目に出ていた喘息の発作もなくなり、すこぶる健康に過ごしている。

3 困り果てていた頻尿がウソのような「お腹保温法」（64歳・女性）

64歳のDさんは、もともと冷え性ではあったが、ここ1～2年、特に腰や下肢部、大腿部が氷のように冷たく、3カ月くらい前からは頻尿で平常の生活ができなくなったという。何しろ10分ごとに尿意を催し、といって、トイレではほとんど排尿がなく、あってもチョロチョロと出る程度。

病院で診てもらっても、尿の中にばい菌が発見されず、神経性膀胱炎と診断されて精神安定剤を処方されたが、まったく効果が出ない。

ある日、お腹や腰に大きな氷の固まりを突っ込まれたような、ものすごい冷えと不快感を感じたので、本能的にヘソの上下左右に1個ずつ、計4個、腰椎の両側に1個ずつカイロを入れた。すると、ホカホカとお腹から体全体が温まり、やがてここ数年、ついぞ経験したことのないような大量の尿がザーッと出て、心身ともに気分がよくなった。

以後、

「いつでも腹巻きを欠かさず、お腹に1個、腰に1個、カイロを当てて生活するようになったら、睡眠も食欲も便通もよくなり、毎日の生活が気分よく、楽になりました」

と話す。

体調が悪かった時には、いつも35・6℃くらいしかなかった体温が、いまは36・4℃になったという。

私の本を知って自分のやり方に確信を持ったDさんは、この**「腹巻きカイロ」の保温法**とともに、体を温める「基本食」、生活法にも取り組んで効果を上げている。

これまで何回か述べてきたように、漢方では「お腹」のことを「お中」と書き、体の中心と考えるが、確かに胃腸、肝臓、膵臓、脾臓、腎臓、膀胱、副腎、子宮、卵巣など、ここに重要な臓器が存在するのだから、お腹（お中）を温めると、計り知れない効果があるのである。

４ 1日4杯の「あつあつ生姜紅茶」で驚きの8kg減!（42歳・男性）

伊豆に、私が経営している健康作りの保養所がある。ここの料理長は169cmで80kg、色白で水太りの体格で、いつも体のどこかしらに痛みやこりを訴えていた。

そこで生姜紅茶の効用を確かめるために実験台になってもらい、とにかく毎日、必ず4杯の生姜紅茶（黒砂糖入り）を飲んでもらうことにした。生真面目な彼は、毎日4杯きちんと飲み、食事や運動の量はそれまでと同じで、という私の言いつけをきちんと守った。

すると、生姜紅茶を飲むたびに滝のような汗が出て、一回の排尿量も多くなり、逆に気がかりだった夜間頻尿もピタリと止まった。はじめてから3週間で、なんと8kgも体重が落ち、1年で12kgも減少して、まるで別人のようになった。

太っている時に多かった痛みやこりの不定愁訴《ふていしゅうそ》もなくなり、いまは元気に調理場を駆け回っている。

彼がいうには、

「同じ生姜紅茶でも、少しぬるいと汗の出が少ないが、熱い生姜紅茶にすると発汗が強く、よくやせた」

とのこと。

これまで数十人にこの生姜紅茶によるダイエットを試してもらったが、１日３〜４杯飲むと、ほぼ例外なく、最初の１カ月で１・５〜３kgの減量ができる。体温も平均して０・２〜０・４℃上昇する。これは逆にいうと、**体温が上昇するから発汗・排尿がよくなり、水太りの人に対して抜群の痩身《そうしん》効果がある**ものと考えられる。

5 下腹部を温めて1週間、ウエストが細くなりだした！（62歳・女性、64歳・女性）

日本テレビ系『おもいッきりテレビ』の「なるほど納得」のコーナーに出演、指導した際、テレビのスタッフたちがいろいろと工夫して得られた面白い実証がある。「カイロでやせる」というタイトルで放映されたが、太り気味を気にしている主婦の間でかなりの高視聴率を上げたようである。これは、ヘソより下の下腹部に大きめの使い捨てカイロを貼るだけでやせよう、という実験である（就寝中も貼り続けて低温ヤケドをした人もいるので、長時間貼る時はタオルに包むこと。ヤケドにはくれぐれも注意！）。

被検者は、身長155cm、体重70・7kg、ウエスト105cmの主婦Fさん（62歳）と、同じく、158cm、72kg、92・3cmの主婦Tさん（64歳）である。

毎日、昼間（起床時から就寝前まで）1週間、下腹部に大きめのカイロを貼り続けたところ、FさんとTさん、それぞれ次の数値に変化が表れた。

●Fさん

体温が35・2↓36・0℃へ

基礎代謝（BMR）は804↓1071kcalへ

体重は70・7↓69・9kgへ
ウエストは105↓102cmへ
腹部皮下脂肪は2・9↓2・1cmへと、すべて減少。

●Tさん
体温が35・8↓36・8℃へ
基礎代謝（BMR）は1372・8↓1670・4kcalへ
体重は72↓70・5kgへ
ウエストは92・3↓90・0cmへ
皮下脂肪は2・3↓1・9cmへと、これもすべて改善。

ご両人とも、まるで口裏を合わせたかのように、「半信半疑だったのに」「体が軽くなった」「冷え性だったのに、体がポカポカしてきた」などと述懐されていたのが面白かった。

なぜ、カイロを貼るだけでこんなにも効果があるのか。**「お腹を温めることにより、肝臓、胃腸、膵臓など臓器の血流がよくなり、産熱量が増えて体温が上昇する**。体温が1℃上がると基礎代謝が12~13%も上昇するので、同じカロリーをとっていてもやせやすくなるのです」という私の解説を、まさにこの2人が実証してくれたのである。

6 不妊だと思っていた私がなんと「年子」を授かりました！

（35歳・女性）

某国立大学医学部で助教授を務めるK先生ご夫妻は、結婚後10年経っても子宝に恵まれなかった。

たまたまある会合で相談を受けた私が、「K先生の奥さんは、色白で冷え性ではないですか」と尋ねると、びっくりした顔で、「妻を診てないのに、どうしてわかるのですか。確かに156cm、44kgの細身で、しかも色白です。よく風邪をひき、偏頭痛や生理痛で寝込むこともしばしばです」との返事。体温も35・3℃くらいが平熱だとのこと。

そこでK先生に、「体を温めるために奥さんに腹巻きを毎日着用させてください。入浴は半身浴をしっかりして、子宮や卵巣がある下腹部を温めること。それに何より、毎日、生姜湯か生姜紅茶を1日最低、3杯以上は飲用して体を温めてください」と話した。

そうしたところ、何と、翌々年の新年に、「おかげさまで、昨年秋に子宝に恵まれました。夫婦ともに喜んでいます。いつも『この子は生姜ベビーだね』と夫婦で話しています」と書かれたK先生ご夫妻からの年賀状を受けとった。

それればかりでなく、その翌年にも、「生姜ベビー第2子が産まれました……」という年賀状が来たのである。

「腹巻き、半身浴、生姜湯」の3点セットで奥さんの長年の冷え性が治って、体温もグッと上昇したのだそうだ。

夫が医学部の先生で、妻も薬剤師という科学者夫婦が、これまでどんな医学的な不妊症治療をしても子供ができなかったのに、体、特に下腹部を徹底的に温めるだけで無事に妊娠、出産をされたのだから、温める効果は絶大である。

7 10年来の持病、胃潰瘍の違和感から解放！（42歳・男性）

Sさんは42歳のサラリーマン。173cm、58kgとやせ型である。ここ10年来、胃潰瘍を患っていて、特効薬のH2ブロッカーを服用している間は症状が軽くなるのだが、薬を中止すると心窩部《しんかぶ》痛（みぞおちの下の痛み）、膨満感が出現して食欲がなくなってしまうので太れないという。

医師からピロリ菌の除菌が必要といわれ、近々、抗生物質によるピロリ菌退治の療法をやる予定なのだそうだ。

早速、Sさんの腹部を診察すると、大変冷たくて、特に胃が存在する心窩部は氷のように冷たい。診察の途中で本人の手をとって心窩部を触ってもらい、「この胃の部分が冷たいでしょう。冷たいということは、胃への血行が悪いということですよ。血液は栄養、酸素、水、白血球、免疫物質をかかえて全身を回っているのですから、**冷たくて血行が悪いところが病気になる**のは当たり前でしょう。今日から腹巻きをして、心窩部に使い捨てカイロを当ててください」と話した。

また、毎日熱い味噌汁に青ノリを入れて飲むこと、お茶代わりにシソの葉加生姜湯（151

ページ）を飲用することをすすめた。

青ノリは潰瘍に効くビタミンUをキャベツの１０００倍も含んでいるとされ、シソの葉と生姜は胃を温め、胃の粘膜の血行をよくするほかに、「気を開く」、つまり胃潰瘍の大きな要因となるストレスをとる作用があるからだ。

その後、Ｓさんは、ものの１週間もすると薬なしでも胃の痛みがなくなり、２カ月後には体温も35・９℃から36・５℃に上昇し、自覚症状はほぼなくなっている。

8 重い生理痛、冷え、のぼせ……のOLが元の健康体に！（28歳・女性）

Tさんは158cm、52kgと中肉中背の28歳である。健康そのものだったTさんが就職後、すっかり体調を悪くしてしまった。以下、心配した両親が話してくれたTさんの症状である。こういう女性が最近増えている。某有名大学を卒業して希望いっぱいに会社勤めを始めたが、入社早々の1年目の夏にたびたび風邪を引き、それまで経験したことのない生理不順や生理痛が起こるようになった。

秋になって徐々に体調も回復したので、夏の不調はオフィスの冷房のせいだったと思っていたのだが、またしても翌年の6月にクーラーが入るようになったとたんに足のむくみ、腰の痛み、生理不順、偏頭痛、冷え、のぼせなどの症状が出現。下着を多くつけたり、腹巻きをしたり、カーディガンを羽織ったりしてもよくならず、近くの病院を訪れたところ、自律神経失調症と診断されて薬を処方された。そして、ついに入社3年目の7月に不眠、不安に襲われ、朝から起きられない、やる気が起きない、仕事のミスが続くなどということになり、上司に紹介された心療内科を訪れたところ、「軽いうつ病」との診断が出た。

驚いた両親が九州から飛んできてTさんを実家に連れ帰り、近くの精神科に通いながらの治療がはじまった。3カ月たって症状はかなり好転したが、「睡眠薬なしには眠れない」「何だかやる意欲がわかない」というのである。

私がTさんの両親に、「Tさんの体温は何度ですか」と尋ねると、35・8℃との答え。「朝のほうが調子が悪いでしょう」と聞くと、「その通りです。午後3時を過ぎると表情や体の働き、いうことにも元気が出てきます」とのこと。体がある程度温まってくると元気が出る――これはまさに体の冷えが原因だ。

私は両親に対し、「簡単にいうと、うつ病は、冷え＝体温低下の病気なので、塩、味噌、しょう油、チーズ、漬け物などの陽性食品をしっかり食べ、毎日ウォーキングをし、入浴も全身浴の後にしっかり半身浴をするなど、体を温めるような努力をしてください。それに生姜紅茶は手っ取り早く体を温めるし、漢方では昔から生姜は気を開く＝うつ病を治す、とされているので、毎日しっかり飲んでください」と申し上げた。

以後、時々経過報告の電話をもらったが、Tさんは**すり下ろし生姜をいっぱい入れた辛い生姜紅茶を1日に5〜6杯飲み、ウォーキングや入浴も毎日実行。すると、睡眠がよくとれ、午前中の不調もなくなってきた**とのこと。体温も6カ月で36・6℃まで上昇し、抗うつ剤、睡眠薬ともに不要になり、かつての元気が戻ってきたという。

9 薬も注射もせずに、毎月確実に血糖値が下がっていく！

（58歳・男性）

Ｊさんは１６８㎝、65㎏の58歳、会社社長である。数年前に受けた健康診断で「血糖値が高い」と指摘されていたが、何の自覚症状もないので放置していた。最近になって口の渇きや頻尿、体重の減少、だるさ、精力低下など糖尿病特有の症状が出てきたので、私のクリニックを受診された。

データをとってみると、空腹時血糖（正常値50～１１０㎎／dℓ）が２３０㎎／dℓ、２、3カ月の血糖値の平均を表すＨｂＡＩＣ（正常値４・３～５・８％）が10・５％と、かなり進んだ糖尿病である。ところが、内服薬はもちろん、インスリン注射など絶対にやらないという。

「どうにもだるいので、体力をつけるために無理して食べていた」というので、「体がだるいなら胃腸も弱っているのだから、無理して食べると胃腸に負担になり、十分な消化ができないので、さらに体調が悪くなりますよ」と説明して、ニンジンジュースを中心にした「基本食」からはじめるようにすすめた。そして、歩ける時は歩く、入浴も全身浴の後にしっかり半身浴をやり、**体を温めて糖分を燃焼するように指導した**。

Jさんにすすめたメニューは、「基本食」のニンジン・リンゴジュースにタマネギを加えたものだ。

・朝食

ニンジン2本（約400g）→240cc

リンゴ2／3個（約200g）→160cc

タマネギ（約30g）→20cc

＝計420cc（コップ2杯強）と生姜紅茶1～2杯

・昼食

そば（トロロかワカメそば）＋（七味唐辛子、ネギをたっぷり加える）

・夕食

和食中心に何でも。ただし、ダイコンとタマネギをスライスしてワカメを加えたサラダ

に、しょう油味ドレッシングをかけて毎日食べる

タマネギには血糖降下物質のグルコキニンが含まれており、ワカメは食物繊維を多く含むので、腸から血液への糖分の吸収を妨げる効果がある。ヤマイモやダイコンなどの根菜類は人間の下半身と相似するので、下肢・腰の冷えやしびれ、精力低下、腎機能低下など、**糖尿病に特有な下半身の弱り（漢方でいう「腎虚《じんきょ》」）を改善**するのである。

その後、1カ月に1回、血液検査に来院するJさんは、判で押したように毎月、体重1kg、HbAICが1・0％ずつ下がっていき、5カ月後には体重60kg、HbAIC＝5・5％と数値が正常化した。

空腹感や口の渇きがある時は黒砂糖入りの生姜紅茶を飲むようにしたので、「基本食」という食事療法に対しても何のつらさも感じなかったとのことだ。

体温も初診時には36・2℃だったのが、5カ月後は36・7℃にまで上昇している。

10 平熱が0・8度上がっただけで不整脈が消えた！（65歳・男性）

Oさんは165cm、58kg、色白で面長、白髪をきれいに整えた65歳の紳士である。

もともと冷え性で水分は嫌いだったが、ここ2～3年、脳梗塞の予防のためにと主治医から水分をたくさん飲むように指導され、生真面目な性格も手伝って、毎日2ℓくらいの水分をとっていた。

ある夕方、ビールを飲んでいた時に突然、脈が速くなり、胸の奥のほうでドーンと突き上げる感じが連続して襲ってきた。救急車で病院に運ばれて心電図その他の検査の結果、「心房細動による不整脈」と診断された。

抗不整脈、強心剤のほか、いくつかの薬を処方されて症状は治まったが、後日、再診を受けると、「心房細動が存在し、不整脈が続いている」ということで、血栓溶解剤の処方をされる羽目に。なぜなら、心房細動は心房の内壁に血栓を作りやすく、その血栓が脳に飛んで脳梗塞を起こしやすくなるから、というものだ。また、水分もこれまで以上に飲むように指導された。

1週間目頃から頭に鍋をかぶせられたような頭重感がしていたが、ある日、すごいめまいと耳閉感《じへいかん》に襲われ、天井がグルグル回って起き上がれない。そうこうしているうちに急な嘔吐《おうと》があり、真っ赤な血液が混じった胃液を吐いて、また救急車で病院へ。めまいや嘔吐はメニエル症候群のせいであるが、吐血は血栓溶解剤が効き過ぎたからだろう、との診断である。

1週間後、退院して私のクリニックへ相談に。

一連の経過と症状を聞いた後、「Oさん、あなたの症状は〝水毒〟です」というと、ポカーンとされている。

「水分は体にとって一番大切なものですが、多過ぎて体にたまると、漢方では〝水毒〟というのです。雨が降り過ぎると水害になるように、体内でも水害が起こるわけです。耳の中の内耳のリンパ液という水分が多くなり過ぎると平衡感覚に狂いを生じ、めまいも起きる。なんとかその水分を排泄しようとして嘔吐や発汗も起こります。

また、そうした症状を起こせない時は、脈を速くして代謝を上げ、体内の余分な水分を消費しようとします。

体温が1度上昇すると脈拍が10上がり、体の代謝は10％上昇する。だから、体内の新陳代謝をよくして、体内の細胞での水分の利用量を増やしたり、腎臓からの水分の排泄をよくするために脈拍を速くしようとするわけです。それが頻脈です。

頻脈になると脈が乱れ、不整脈になることもあります。あなたの一連の症状が水毒であることがおわかりでしょう。**水分をとるなら、紅茶や生姜紅茶、こぶ茶など、体を温めて排水（排尿や発汗）を促し、余分な水分が体内に残らないような水分のとり方**をすべきです」

と話すと、Oさんはすぐに理解され、私が話している途中から顔がみるみるうちに明るくなった。

「水毒」はかくも恐いのである。

体内の余分な水分を捨て、めまい、耳鳴りに特効する茯苓《ぶくりょう》（サルノコシカケ）、朮《じゅつ》（オケラ）、桂枝《けいし》（ニッケイ）からできている苓桂朮甘《りょうけいじゅつかん》湯を処方した。加えて陽性食品をしっかり食べ、ウォーキングや半身浴で発汗、排尿を図ってもらった。すると驚くほどの汗や尿が出て、原因不明の下痢（水の排泄をしていた状態）が3日続いた後は、ピタリと不整脈がなくなった。

体温が35・4℃から2カ月後には36・2℃まで上昇したことも治療効果が上がっている証明であろう。

11 体を温めることに専念して、12年来のあちこちの痛みを解消！（38歳・女性）

私の手元に1通の手紙がある。

「私は膠原《こうげん》病やシェーグレン、甲状腺機能低下症（橋本病）、関節リウマチ、低カリウム血症などで12年間、何種類もの化学薬品によって、なんとか現状を維持してきましたが、ただ痛みを逃がすだけで、年々立てなくなり、まだ38歳なのに先行きが不安で仕方ありませんでした。

しかも、ここ1～2年は気分が落ち込み、このまま一生を終わるのではないかと、不安と恐怖で暗い毎日を送っていました。

しかし、先生の本を読み切ったあとで、まさに思い当たることばかりで驚きました。そして、読んですぐ**体を温めることに専念**しました。わずか2カ月後のいま、ウソみたいに痛みがありません。そして、気分も明るくなれました……本当にありがとうございます」

このようなお便りからは、私も元気をいただく。

体を温めることが根本的な解決につながることが、このIさんの例でも明らかだろう。

12 難病との闘いに光明が差してきました！（65歳・女性）

国が指定した血液の難病、特発性血小板減少性紫斑病の患者さんから経過報告の手紙が来た。

「梅雨が明け、セミの声が一段と激しくなってまいりました。特発性血小板減少性紫斑病で診察していただいてから8カ月もたち、報告が遅くなりまして申し訳ございません。

毎日、ニンジン・リンゴジュース、生姜紅茶をいただき、食事に気をつけています。ご指導いただきました通り、病院へ行くのをやめて、常にお世話になっています近所の医院に血液検査をお願いしています。

おかげさまで、だんだん数値が増えてきました。

血小板検査結果の数値を別紙に報告させていただきます。

2001年　12月5日　3万（イシハラクリニックで）
2002年　1月22日　4万3000
　　　　2月19日　6万9000

3月12日　5万7000
4月8日　5万8000
5月3日　6万4000（循環器科）
6月18日　8万1000
7月15日　10万2000

厳しい難病と闘っておられるNさんであるが、確実に血小板が増えていることがわかる。**ニンジン・リンゴジュース、生姜紅茶などの「体を温める力」を続行する**ことで病魔を退治されるのも目前である。血小板の数の正常値は、12万（1㎣）以上が正常値だからだ。

13 大腸ガン宣告から10年、「スペシャル温熱法」で今日も元気！（50歳・男性）

Sさんは165cm、75kgの働き盛り。10年ほど前、毎日猛烈な忙しさが続いた頃に、表現しがたい腰の鈍痛に見舞われ、翌朝に血便が出現。近くの病院を受診すると大腸ガンとの診断だった。「内視鏡ではとれないほど大きい。しかも、かなり下のほうにあるので人工肛門をつけることになります」と宣言され、入院の日も決められた。Sさんは「どうしても手術を受けたくない」というと、「それなら、ここでは責任はとれませんから……」と、暗に「もう、うちで受診するな……」といい渡された。

そこで、私と顔見知りでもあったSさんは、自己流の本格的自然療法を開始。毎日のニンジン・リンゴジュースにはキャベツとアロエを加えて、朝は朝食代わりにコップ3杯を愛飲、主食は小豆を入れた玄米を昼と夕の2食によく噛んで食べ、副食は野菜と豆と海藻を中心に、ときどき魚介類を食べるという自然食を徹底。毎日小一時間の散歩に加え、**Sさんのスペシャルというべき遠赤外線サウナに1日30分以上入り、お腹に温灸をすることを続けた**。私は家庭医的に相談を受けているが、いまではすこぶるつきの健康状態を保っている。ガンと宣告を受けてから10年以上も経過しているのに、である。

14 手術不能の原発性肝臓ガンから普通の暮らしへの復帰（56歳・男性）

Ｈさんの肝臓病歴は１９８２年にアルコール性肝炎と診断された時からはじまった。それ以降はアルコールの摂取はしなかったにもかかわらず、慢性肝炎に移行。以後、２カ月に1回、エコー検査と血液検査を受けていたが、89年6月に「肝腫瘍あり」と指摘され、翌月に某医大で原発性肝臓ガンと診断（本人には血管腫と告知）。

肝右葉拡大手術が決まって開腹手術がなされたが、「ガン腫が予想以上に大きく、肝左葉も慢性肝炎と肝梗塞が混在しているので、右葉拡大切除（肝の70％切除）は生命の危険がある」との執刀医の判断で、何もしないでお腹は閉じられた。本人には「血管腫を手術により首尾よく切除した」と告げられ、傷の回復後に退院。

それ以後、Ｈさんはその医大には毎月、エコーや血液のチェックには通ったが、自宅では徹底的な自然療法を開始。それまでの牛乳、目玉焼き、バターを塗ったパンという朝食、肉中心の夕食だったのを改め、

・朝食はニンジン・リンゴのジュースをコップ2・5杯
・昼、夕食は玄米食に野菜・海藻類、豆類を中心とした菜食の副食

に変えた。

そして、入浴後は、毎日どんなことがあっても、必ず肝臓が存在する右上腹部を中心に生姜湿布を2～3回行なう、という奥さんの献身的な介護が続けられた。

当初あった膨満感、微熱、食欲不振も徐々にとれ、１００単位以上あったＧＯＴ、ＧＰＴの肝機能検査値も40～60以内と低下してきた。

その後、1年後からは当初の玄米菜食から、魚介（エビ、カニ、イカ、タコ、貝）を週2回とり入れた料理を食べ、次の年からは魚も解禁、中止していた大好物の甘い物も少しずつ食べはじめる……というふうに、食事の範囲を徐々に広げていった。散歩も毎日行ない、手術で12kgもやせた体重も元に戻り、海外旅行にも積極的に出かけるほど、ほぼ完治したように見えるようになった。

ただ、8年後の97年に入ってときどき下痢をするようになって、98年にエコーで元の患部以外に小さいガン腫瘍が4個見つかり、肝動脈に塞栓物質と抗ガン剤を注入する療法が開始された。この頃からである。大変よかった全身状態が徐々に悪化し、下痢、体重減少がはじまり、結局は99年の10月に死の転帰をとられた。

手術不能の原発性肝ガンと宣告されてから10年近くもお元気に過ごされたことになる。

当初は治療法がなかったがゆえに、自然療法を徹底されたのがかえって幸いし、西洋医学では予想できないほど長生きされたということになる。

もちろん、玄米自然食の食事やウォーキングも十分に奏効したと思われるが、**一番効いたのは、奥様が毎日、献身的にされた生姜湿布**ではないかと私は思っている。

15 なぜ、卵巣のう腫は消えたのか（42歳・女性）

Eさんは160cm、60kgの外国人である。西洋の人にしては下半身が太い。

そんなEさんに、ある時、腹部の膨満感と腰痛があり、婦人科を受診したところ、左の卵巣に4cm×5cmの卵巣のう腫が見つかった。

「1カ月ほど様子を見ますが、のう腫が大きくなるようだったら即、手術です。大きくならなくても手術したほうがいいでしょう」という診断である。

どうしても手術をしたくなかったEさんが、私のところに相談に来た。

触診すると、ヘソより下の下腹部が上腹部に比べて冷たい。全身を見ると、顔は小さいのに、下半身に行くほどフワーッと下ぶくれになるタイプである。これはつまり、「水太りの下半身デブ」の体形なのだ。

「おヘソより下が冷たいし、きっと、時々下肢がむくむでしょう？　下肢のむくみの原因は水分ですし、下腹部に存在する卵巣のう腫の正体も、漿液《しょうえき》という水分ですよ。そんなに手術したくないのなら、余分な水分（特に冷たい水分）はとらず、生姜紅茶を飲んでください。そして毎日1万歩歩くことです。それに、半身浴や生姜湿布をして下腹部を温めること。そして何より一番大切なことは、とにかく過食を慎むこと」と指示し、ニンジン・リンゴジュースを中心とした「基本食」を勧めた。

1カ月間、私の指示を真剣に実行したEさんが先の婦人科を訪れてエコー検査をしてもらうと、「おかしいですね。のう腫が見えなくなっています。まず消えることはないんですが。もし破裂したのなら腹膜炎を起こすだろうし……」など、医師がムニャムニャとひとり言をいっておられたという。

結局、Eさんの卵巣のう腫は消えた。**下腹部をウォーキングや半身浴で温め、卵巣への血行をよくする**ことにより、卵巣の中の漿液が血液に吸収されて、最終的には尿として腎臓のほうへ排泄されたということだろう。


（了）

「体《からだ》を温《あたた》める」と病気《びょうき》は必《かなら》ず治《なお》る

著　者――石原結實（いしはら・ゆうみ）
発行者――押鐘冨士雄
発行所――株式会社三笠書房
〒102-0072 東京都千代田区飯田橋3-3-1
電話：(03)5226-5734（営業部）
：(03)5226-5731（編集部）
http://www.mikasashobo.co.jp
印　刷――誠宏印刷
製　本――宮田製本

編集責任者　前原成寿
ISBN978-4-8379-2017-5 C0030

三笠書房

医学博士／イシハラクリニック院長 **石原結實の本**

「体を温める」と病気は必ず治る

◆「内臓が喜ぶこと」をなぜ、しないのか！

病気は「冷たいところ（血行不良）」に起こる！

血圧を下げる、肥満解消、がんこな腰痛に、アトピーなど皮膚トラブルに……プチ断食、温めメニュー、簡単その場運動など、早い人は1週間で効果が表れる内臓強化法！

「前兆」に気づけば病気は自分で治せる

◆クスリをいっさい使わないで治す食事と生活習慣

早く気づいて、すぐに手を打つ。これが「病気知らず」の絶対条件！

たとえば――「尿が増えた、減った」は糖尿、腎臓、心臓の前兆。「口臭」は血液が汚れているサイン。「みぞおちが冷たい」は胃潰瘍、胃ガンの可能性。「歯が浮く」は全身の血行不良……。

内臓、皮膚、頭脳……

老化は「体の乾燥」が原因だった！

◆全身が若返る食べ方・暮らし方

●乾燥→老化→病気の悪循環を断ち切れ！
いつまでも若々しく生きる方法！

◎無理をして水を飲んでいないか◎なぜ「減塩」しても血圧が下がらないのか◎「保湿」は肌からでなく、「体の中」から。

――体によいつもりが、かえって老化を進めていた！

T30016